AGATHA CHRISTIE

POIROT PERDE UMA CLIENTE

Tradução
Archibaldo Figueira

Rio de Janeiro, 2020

Título original: DUMB WITNESS
Copyright © 1931 by Agatha Christie Mallowan.

Direitos de edição da obra em língua portuguesa no Brasil adquiridos pela CASA DOS LIVROS EDITORA LTDA. Todos os direitos reservados. Nenhuma parte desta obra pode ser apropriada e estocada em sistema de banco de dados ou processo similar, em qualquer forma ou meio, seja eletrônico, de fotocópia, gravação etc., sem a permissão do detentor do copyright.

Rua da Quitanda, 86, sala 218 – Centro – 20091-005
Rio de Janeiro – RJ – Brasil
Tel.: (21) 3175-1030

DIRETORA EDITORIAL: RAQUEL COZER
GERENTE EDITORIAL: ALICE MELLO
EDITOR: ULISSES TEIXEIRA
REVISÃO: THAMIRIS LEIROZA E RACHEL MATTOS
DIAGRAMAÇÃO: ABREU'S SYSTEM
PROJETO GRÁFICO DE CAPA: MAQUINARIA STUDIO

Printed in China

CIP-Brasil. Catalogação na Publicação
Sindicato Nacional dos Editores de Livros, RJ

C479p

Christie, Agatha
    Poirot perde uma cliente / Agatha Christie ; tradução Archibaldo Figueira. - 1. ed. - Rio de Janeiro : HarperCollins, 2017.
    256 p.

Tradução de: Dumb witness
ISBN 978-85-9508-002-7

1. Ficção inglesa. I. Figueira, Archibaldo. II. Título.

16-36996   CDD: 823
                                   CDU: 821.111-3

Ao meu caro Peter,
O mais fiel dos amigos e o companheiro mais querido,
um cão entre tantos outros.

Sumário

I. A senhora de Littlegreen House 9

II. Os parentes.. 19

III. O acidente 26

IV. A srta. Arundell escreve uma carta................................. 34

V. Poirot recebe uma carta.. 37

VI. Rumo à Littlegreen House... 43

VII. Almoço no George 52

VIII. Interior da Littlegreen House....................................... 58

IX. Reconstituição do incidente da bola de Bob 74

X. Visita à srta. Peabody... 82

XI. Visita às senhoritas Tripp... 92

XII. Poirot discute o caso 100

XIII. Theresa Arundell... 106

XIV. Charles Arundell 115

XV. A srta. Lawson 124

XVI. A sra. Tanios... 138

XVII. O dr. Tanios 144

XVIII. Uma agulha num palheiro 150

XIX. Visita ao sr. Purvis 158

XX. A segunda visita à Littlegreen House 167

XXI. O farmacêutico — a enfermeira — o médico 176

XXII. A mulher da escada 186

XXIII. A visita do dr. Tanios 198

XXIV. O desmentido de Theresa 205

XXV. Minhas reflexões pessoais 212

XXVI. A sra. Tanios recusa-se a falar 219

XXVII. Visita do dr. Donaldson 228

XXVIII. Mais uma vítima 232

XXIX. Inquérito na Littlegreen House 237

XXX. A última palavra 248

I

A senhora de Littlegreen House

A SRTA. ARUNDELL morreu a 1º de maio e, embora sua doença fosse curta, sua morte não causou maiores surpresas na vila de Market Basing, onde vivera desde os dezesseis anos. Isto porque Emily Arundell tinha mais de setenta, era a última sobrevivente de uma família de cinco pessoas, e há muitos anos era sabido que não andava bem de saúde. Na verdade, um ano e meio antes, quase não escapara a um ataque semelhante ao que acabou por matá-la.

Embora sua morte não tivesse surpreendido ninguém, o mesmo já não se pode dizer do seu testamento, que deu origem aos mais diversos sentimentos: espanto, agradável excitação, críticas ásperas, fúria, desespero, raiva e falatório generalizado. Durante semanas e até meses não se falaria de outra coisa! Toda Market Basing tinha algo a dizer a respeito, desde o sr. Jones, o dono do armazém, segundo o qual "o sangue era mais espesso que a água", até a sra. Lamphrey, empregada dos Correios, que repetia *ad nauseam* que podiam estar certos de haver alguma coisa por detrás daquilo. "Não se esqueçam de minhas palavras!"

O que dava margem a tantas especulações era o fato de o testamento ser recente, datado apenas de 21 de abril. Além disso, os parentes mais próximos de Emily Arundell tinham passado com ela os feriados da Semana Santa, e é de se imaginar que disto resultaram as mais estapafúrdias teorias, o que quebrou agradavelmente a monotonia que caracterizava a vida de Market Basing.

Havia uma pessoa de quem maliciosamente se suspeitava saber muito mais do que deixava transparecer. Era a dama de companhia da morta, a srta. Wilhelmina Lawson, que, no entanto, sabia tanto quanto os demais, e afirmava ter ficado aturdida quando da leitura do testamento. É claro que muitos não acreditavam em nada disso. Contudo, ignorasse ou não a srta. Lawson a verdade dos fatos, só havia uma pessoa que sabia de tudo: a morta. Emily Arundell não dera satisfações a ninguém, como aliás era de seu costume, e nem sequer ao advogado explicara os motivos que a tinham levado àquela decisão. Limitara-se a deixar bem claras as suas vontades.

Nessas reticências poderia ser encontrado o traço marcante do caráter de Emily Arundell. Autocrática e, por vezes, até mesmo arrogante, tinha contudo um coração bondoso. Sua língua era ferina, mas suas ações doces. Era sentimental nas aparências, mas, interiormente, esperta. Tivera uma série de damas de companhia que tiranizara impiedosamente, mas para as quais fora também generosa. Tinha, sobretudo, elevada noção de seus deveres familiares.

Na Sexta-Feira Santa, Emily Arundell postou-se no hall da Littlegreen House para dar instruções à srta. Lawson. Emily Arundell fora tão bela quando moça quanto era agora bem conservada, empertigada e de modos ríspidos. Um leve tom amarelado em sua pele denunciava que ela não podia comer impunemente comida pesada.

Naquele momento, a srta. Arundell perguntava:

— Então, Minnie, onde você os instalou?

— Bem, pensei... espero ter feito bem... o dr. e a sra. Tanios, no Quarto de Carvalho, Theresa no Quarto Azul e o sr. Charles no antigo quarto das crianças.

— Theresa pode ficar no antigo quarto das crianças, e Charles no Azul.

— Sim, senhora. Desculpe-me. Pensei que o quarto das crianças seria bem melhor...

— Servirá perfeitamente a Theresa.

À época da srta. Arundell, as mulheres vinham sempre depois.

— Lamento que as queridas criancinhas não tenham vindo — murmurou, sentimentalmente, a srta. Lawson.
— Já bastam quatro visitantes. Além disso, Bella enche as crianças de manhas. Elas nunca fazem o que a gente manda.
— A sra. Tanios é uma mãe muito extremada — murmurou a srta. Lawson.
— Sim. Bella é, na verdade, uma boa mulher — admitiu a srta. Arundell em grave aprovação.
A srta. Lawson suspirou, comentando:
— Deve ser duro para ela, às vezes, viver longe, numa terra como Smyrna.
— Ela fez sua própria cama — respondeu a srta. Arundell. — Que se deite nela agora. — E, após a sentença vitoriana, acrescentou: — Vou à cidade encomendar o necessário para o fim de semana.
— Não, srta. Arundell. Eu posso ir; pode deixar.
— Bobagem! Prefiro ir eu mesma. Rogers precisa ouvir umas poucas e boas. O seu mal, Minnie, é não ser suficientemente enérgica. Bob, Bob! Onde está o cachorro?
Ao ouvir o nome, um *terrier* preto desceu as escadas e rodou à volta de sua dona, soltando breves latidos de prazer.
A velha e o cão saíram pela porta principal e cruzaram o pátio até o portão.
A srta. Lawson postou-se à porta, vendo-os afastar-se, sorrindo tolamente. Atrás dela, uma voz protestou:
— As fronhas que me deu são desiguais.
— Quê? Mas que estupidez a minha!
Minnie Lawson mergulhou novamente na rotina caseira.
Emily Arundell, acompanhada de Bob, desceu, com ar imponente, a rua principal de Market Basing. Tinha havido muito progresso. Em cada loja que entrava, o dono sempre se apressava em servi-la.
Ela era a srta. Arundell da Littlegreen House. Era "uma das nossas mais antigas clientes", ou "uma da velha escola, dessas das quais já não existem muitas".
— Bom dia, senhorita. Em que posso ter o prazer de servi-la? Não estava tenra? Lamento muito, mas pareceu-me boa. Sem dú-

vida, srta. Arundell... Não, nem me passaria pela cabeça mandar-lhe *Canterbury*. Sim, sim, eu mesmo me encarregarei disso.

Bob e Spot, o cachorro do açougueiro, corriam um atrás do outro, rosnando suavemente. Spot era um cão robusto, evidentemente vira-lata. Sabia que não devia brigar com os cães dos fregueses, mas dava-lhes a entender sutilmente que os reduziria a picadinho se tivesse liberdade para tal. Bob, um animal esperto, respondia-lhe à altura.

Emily Arundell chamou o cão energicamente e retirou-se.

Na quitanda, houve um encontro de pessoas importantes. Outra senhora, já despojada de curvas, mas igualmente notável pelo ar de realeza, saudou-a:

— Bom dia, Emily.

— Bom dia, Caroline.

— Esperando pela turma jovem?

— Sim, todos eles. Theresa, Charles e Bella.

— Então Bella está no país! E o marido?

— Também.

A resposta foi simples, mas a entonação era comum às duas mulheres.

Bella Biggs, sobrinha de Emily Arundell, casara-se com um grego. Mas na família de Emily Arundell, sabidamente "gente importante", ninguém casava com gregos. Na tentativa de botar água na fervura (pois não se devia falar sobre este assunto), a srta. Peabody comentou:

— O marido de Bella é inteligente e educado.

— Tem maneiras encantadoras — concordou a srta. Arundell.

Descendo a rua, a srta. Peabody perguntou:

— Que existe de verdade no boato de que Theresa está noiva do jovem Donaldson?

— Hoje em dia os jovens não pensam muito — replicou a outra, dando de ombros. — Receio que o noivado demore muito... se for para a frente. Ele não tem um vintém!

— Mas Theresa tem.

— Um homem não pode viver do dinheiro da mulher! — decretou secamente Emily Arundell, provocando na srta. Peabody uma gargalhada divertida.

— Ah, hoje ninguém mais liga para isso. Nós já estamos superadas, Emily. Mas só não compreendo o que ela pode ver nele. É tão sem sal!

— É um bom médico, suponho.

— Aquele pincenê e aquele jeito de andar! Nos meus tempos não seria mais do que um pobre-diabo.

Seguiu-se uma pausa, durante a qual a memória da srta. Peabody mergulhou no passado, vendo passar jovens elegantes e de suíças.

Suspirando, murmurou por fim:

— Diga ao moleque do Charles para me visitar... se ele vier.

— Fique descansada.

As duas se separaram.

Conheciam-se fazia uns bons cinquenta anos. A srta. Peabody sabia de alguns fatos lamentáveis sobre a vida do general Arundell, pai de Emily. Sabia também a extensão do choque que o casamento de Thomas Arundell causara às irmãs, e tinha ideia clara de alguns problemas ligados à geração mais moça. As duas, contudo, jamais tinham trocado uma palavra sequer acerca desses assuntos. Eram ambas autênticos pilares da dignidade e solidariedade familiar, assim como da total discrição quanto a tudo que se relacionasse à família.

A srta. Arundell voltou para casa com Bob caminhando pachorrentamente atrás dela. Naquele momento, dizia de si para si que jamais mencionaria a ninguém a sua decepção com os jovens da família.

Theresa, por exemplo. Perdera o controle sobre a sobrinha desde que ela, aos 21 anos, entrara na posse do dinheiro que herdara. Desde então, a moça adquirira certa notoriedade, com seu nome frequentemente nos jornais. Fazia parte de um grupo de jovens londrinos modernos e brilhantes. Um grupo que promovia festas excêntricas que, de vez em quando, acabava na delegacia de polícia. Não era, assim, a notoriedade que Emily Arundell pudesse aprovar em uma jovem da sua família. Na verdade, aborrecia-lhe muito o modo de vida de Theresa. Quanto ao noivado, entretanto, sentia-se um pouco confusa, se, por um lado, não considerava bom para uma Arundell um médico recém-formado, de outro entendia que Theresa não seria lá essas coisas para um pacato médico de província.

Soltou um suspiro, passando a pensar em Bella. Nesta, não havia do que se queixar. Era uma boa mulher; esposa e mãe devotada, de comportamento exemplar e extremamente enfadonha. Mas nem Bella recebia sua total aprovação, por ter-se casado com um estrangeiro — e, ainda por cima, grego! Para uma pessoa tão cheia de preconceitos como a srta. Arundell, um grego era quase tão mau como um argentino ou um turco. E o fato de ter ele boas maneiras, bem como ser competentíssimo na profissão, aumentava o seu desapreço por ele. Seu encanto pessoal e sorrisos fáceis lhe inspiravam desconfiança. Em consequência, ficava-lhe também difícil afeiçoar-se aos filhos do casal. Ambos se pareciam com o pai, nada tendo, portanto, de ingleses.

Quanto a Charles... era inútil fechar os olhos. Charles não merecia confiança, por mais encantador que fosse.

Emily Arundell suspirou, sentindo-se, de repente, velha, cansada e deprimida.

Imaginou que, certamente, não duraria muito. Seus pensamentos voltaram-se, então, para o testamento que fizera alguns anos antes.

Feitos alguns legados aos criados e obras de caridade, o resto de sua apreciável fortuna ficara dividido em partes iguais entre os três parentes que lhe restavam.

Continuava certa de ter feito um testamento justo, mas, de repente, surgiu-lhe a ideia de estabelecer um modo de proteger do marido a parte de Bella. Seria preciso consultar o sr. Purvis.

Charles e Theresa Arundell chegaram de carro. Os Tanios vieram de trem.

Os primeiros a aparecer foram os irmãos. Charles, alto e bem parecido, cumprimentou-a com ar levemente sardônico:

— Como vai, tia Emily? Que excelente aspecto!
Beijou-a.
Theresa encostou sua face jovem e fresca no rosto enrugado da anciã:
— Como está, tia Emily?
Para Emily Arundell, a moça não parecia estar bem. Notou-lhe magreza no rosto, sob a pintura abundante, e pés de galinha nos olhos.

Tomaram o chá na sala. Bella Tanios, com os cabelos escapulindo do chapéu moderno, não tirava os olhos de Theresa, especialmente ansiosa por assimilar e fixar a maneira como se vestia. Era uma triste sina para Bella gostar apaixonadamente de vestidos, sem saber, entretanto, o que lhe ia bem ou mal. Quanto a Theresa, usava roupas caras e extravagantes, como ela mesma.

Desde que chegara de Smyrna a Londres, tentara copiar a elegância de Theresa a preço e corte inferiores.

O dr. Tanios, um homem grande e de barba, bem apessoado, conversava com a srta. Arundell. Sua voz era quente e cheia, fascinando seus interlocutores. Mas isso ocorria contra a sua vontade, como naquele instante, com Emily Arundell, que se embevecia.

A srta. Lawson não parava nunca. Sentava-se e levantava, oferecendo pratos e remexendo na mesa de chá. Charles, extremamente educado, levantou-se várias vezes para ajudá-la, mas ela não se mostrava grata.

Quando, após o chá, o grupo saiu para uma volta pelo jardim, Charles comentou com a irmã:

— A srta. Lawson não gosta de mim. Não acha estranho?

— Muito engraçado — concordou Theresa, ironicamente. — Existe, enfim, alguém capaz de resistir à sua fatal fascinação?

— Felizmente é apenas a srta. Lawson... — murmurou Charles, em seu modo cativante.

A dama de companhia passeava com a sra. Tanios, fazendo-lhe sucessivas perguntas sobre os filhos. Mal começou a falar deles, o rosto apagado de Bella iluminou-se. Chegou até a esquecer de observar Theresa. Mary dissera uma coisa tão engraçada no navio...

Minnie Lawson era, sem dúvida, uma ouvinte simpática.

Pouco depois, um rapaz louro, de expressão solene e *pincenê*, apareceu no jardim, vindo da casa. Tinha um ar embaraçado. A srta. Arundell saudou-o delicadamente, e Theresa exclamou:

— Olá, Rex! — Dando-lhe o braço, afastou-se com ele.

Charles pareceu aborrecido. Afastou-se para trocar uma palavra com o jardineiro, seu aliado dos velhos tempos.

Quando a srta. Arundell voltou à casa, Charles brincava com Bob. O cão estava no alto da escada, com uma bola na boca, abanando suavemente a cauda.

Bob sentou-se nas patas traseiras e empurrou devagar a bola com o focinho até a beira do patamar, para afinal dar-lhe um empurrão mais forte e levantar-se excitado. A bola rolou escada abaixo. Charles apanhou-a e atirou-a novamente. Bob agarrou-a com a boca, e a brincadeira repetiu-se.

— Joga bem — comentou Charles.

Emily Arundell sorriu.

— Ficaria horas nessa brincadeira. — Dirigiu-se para a sala, seguida do sobrinho. Bob latiu, decepcionado.

Olhando pela janela, Charles alertou:

— Olhe Theresa e o namorado. Que estranho casal!

— Acha que Theresa vai levar isto realmente a sério?

— Está louca por ele — comentou Charles, com convicção. — É de mau gosto, mas verdadeiro. Creio que é pela maneira como ele a olha, como se fosse uma cobaia científica, em vez de uma mulher cheia de vida; e que a novidade é que prende Theresa. Pena que o rapaz seja tão pobre. Theresa tem gostos caros...

— Estou certa de que, se quiser, poderá mudar de vida. Além disso, tem sua própria renda — replicou secamente a srta. Arundell.

— Quê? Sim, claro! — exclamou Charles, lançando-lhe um ar de culpado.

À noite, quando estavam reunidos na sala, esperando o jantar, ouviu-se um barulho de passos precipitados na escada, seguido de uma série de impropérios. Logo em seguida apareceu Charles, o rosto corado.

— Desculpe o atraso, tia Emily. Bob quase me fez levar o maior tombo da vida. Deixou a bola no patamar, e tropecei nela.

— Cachorrinho descuidado! — exclamou a srta. Lawson, abaixando-se para o cão, que a olhou desdenhosamente e virou a cabeça.

— É um costume perigoso — comentou a srta. Arundell, mandando que Minnie guardasse a bola.

A srta. Lawson obedeceu.

Durante quase todo o jantar, o dr. Tanios monopolizou a conversa com histórias divertidas de sua vida em Smyrna.

Deitaram-se cedo. A srta. Lawson, levando cobertores, óculos, um grande saco de veludo e um livro, seguiu a patroa até o quarto, tagarelando animadamente.

— O dr. Tanios é muito divertido e excelente pessoa, embora não me agrade aquele tipo de vida. Creio que lá é preciso ferver a água... e o leite de cabra, talvez. Tem um gosto ruim...

— Não seja tola, Minnie. Disse a Ellen para me chamar às seis e meia?

— Sim, srta. Arundell. Disse-lhe que não fizesse chá, mas não acha que seria mais sensato... Enfim, o vigário de Southbridge, um homem muito sério, disse-me que ninguém é obrigado a ir em jejum...

A srta. Arundell voltou a interrompê-la rispidamente:

— Nunca fui à igreja tendo comido alguma coisa pela manhã, e não será desta vez... Mas você não é obrigada a fazer o mesmo.

— Oh, não!... Não quis dizer... estou certa... — gaguejou a dama de companhia, confusa.

— Tire a coleira de Bob — determinou a srta. Arundell. A srta. Lawson apressou-se em obedecer.

Num novo esforço para agradá-la, disse:

— Foi uma tarde muito agradável, e todos pareceram muito satisfeitos por estarem aqui.

— Hum... — resmungou a srta. Arundell. — Vieram atrás de qualquer coisa.

— Ah, srta. Arundell!...

— Minha boa Minnie, poderei ter muitos defeitos, mas não sou boba! Só gostaria de saber qual deles abordará o assunto primeiro.

Não ficou em dúvida por muito tempo.

Ao regressar da igreja, pouco depois das nove, com a srta. Lawson, viu o dr. e a sra. Tanios na sala de jantar. Mas não havia sinal dos irmãos. Após o café, quando o casal se retirou, a srta. Arundell sentou-se, registrando despesas numa caderneta.

Charles apareceu por volta das dez.

— Desculpe o atraso, tia Emily. Mas Theresa é pior. Não abriu os olhos ainda.

— Às dez e meia tirarão a mesa — informou a srta. Arundell. — Sei que hoje em dia é moda não ter consideração pelos criados, mas isso não se usa na *minha* casa.

— Ótimo! Eis o verdadeiro espírito de solidariedade!

Charles serviu-se de rins e sentou-se ao lado da tia.

O sorriso, como sempre, era atraente, e Emily Arundell não demorou a sorrir-lhe de volta, indulgente. Encorajado, Charles entrou no assunto:

— Escute, tia Emily, detesto incomodá-la, mas estou num terrível aperto. Não poderia ajudar-me? Uns cem chegariam...

A expressão da anciã modificou-se. Sendo habitualmente franca, respondeu-lhe sem rodeios.

A srta. Lawson, que passava pela antessala, quase chocou-se com Charles quando ele saía da sala. Olhou-o com curiosidade, e foi juntar-se a Emily Arundell, que permanecia sentada e lívida.

II

Os parentes

CHARLES SUBIU lentamente as escadas e bateu à porta da irmã, que o mandou entrar. Theresa bocejava na cama, sentada. Charles sentou-se também.

—Você é uma mulher muito decorativa, Theresa — observou ele.

— O que há? — perguntou-lhe, com objetividade.

—Você é um bocado esperta, hein? — comentou Charles. — Mas desta vez eu passei a sua frente, querida. Tratei de tentar a sorte antes que você o fizesse.

— E então?

Charles fez um gesto para baixo com as mãos, significativamente.

— Nada feito! Tia Emily deu-me um *não* sem qualquer cerimônia, e demonstrou não ter quaisquer ilusões quanto à razão de sua afetuosa família ter-se reunido em torno dela! E ainda disse que esta família afetuosa ficaria decepcionada. Dela só levarão afeto, e não muito mais do que isso.

—Você poderia ter esperado um pouco — reclamou Theresa, secamente.

—Temia que você ou Tanios se adiantassem — justificou Charles. — Tenho o triste pressentimento, minha cara, de que a dita afetuosa família não terá nada desta vez. A velha Emily não é burra.

— Nunca pensei que fosse.

—Até tentei assustá-la um pouco.

— Que disse você? — perguntou Theresa, inquieta.

— Disse-lhe que ela estava a caminho do fim. E que não poderia levar tudo com ela para o céu. Que estava na hora de afrouxar a mão um pouco.

— Charles, você é um idiota!

— Não sou, não. Sou um pouco de psicólogo à minha maneira. De nada adianta bajular a velhota. Ela prefere ser enfrentada. Afinal, eu só lhe disse o que era mais sensato. Teremos o dinheiro quando ela morrer. Por que não adiantar-nos algum? Se não o fizer, a tentação de tirá-la do caminho poderá tornar-se irresistível.

— E ela concordou com o seu ponto de vista? — inquiriu Theresa, com a boca delicada franzida em desdém.

— Não tenho certeza. Ela não admitiu isto. Limitou-se a agradecer o aviso e disse que era perfeitamente capaz de cuidar de si. Então eu disse: Bem, eu a avisei. E ela respondeu: Lembrar-me-ei disto.

— Charles, realmente você é um idiota — disse Theresa enraivecida.

— Ora, Theresa, fiquei meio maluco, afinal. Veja, ela está simplesmente nadando em dinheiro, aposto que não gasta dez por cento das suas rendas, enquanto nós, que somos novos e capazes de gozar a vida... Só para chatear, ela é capaz de viver cem anos... Eu quero o meu agora... E você também...

Theresa concordou com a cabeça.

— Eles não entendem... Gente velha — murmurou baixinho — não consegue... Não sabe o que é viver!

Irmão e irmã permaneceram um pouco em silêncio. Charles levantou-se:

— Bem, querida. Faço votos que seja mais bem-sucedida, embora tenha minhas dúvidas.

— Estou contando com o Rex — Theresa revelou. — Se conseguir fazer a velha compreender que ele é um rapaz brilhante, e o quanto precisa de uma oportunidade para não ficar enferrujando como um simples médico...

Ora, Charles, uns poucos mil de capital faz tanta diferença no mundo em que vivemos!

— Espero que consiga, mas não alimento esperanças. Você jogou muito dinheiro fora. Acha que a chata da Bella ou aquele seu marido conseguirão alguma coisa?

— Não vejo que utilidade aquele dinheiro teria para Bella. Ela é uma cafona, e seus gostos são puramente domésticos.

— É... — disse Charles vagamente. — Acho que ela quer o dinheiro para aquelas crianças insuportáveis: escola, aparelhos para os dentes da frente, lições de música. E, de qualquer maneira, não se trata de Bella. Trata-se de Tanios. Aposto que ele tem faro para dinheiro. Todo grego é assim. Você sabia que ele gastou todo o dinheiro de Bella? Especulou com ele e perdeu tudo.

— Você acha que ele conseguirá arrancar algum da tia Emily?

— Não, se eu conseguir impedir — assegurou Charles.

Saiu do quarto e desceu a escada. Bob, que estava na antessala, fez-lhe festa. Os cães adoravam Charles.

Bob correu para a porta e olhou para trás.

— O que é que há? — perguntou-lhe Charles, seguindo-o. O cão correu para a sala de jantar e sentou-se perto de uma escrivaninha.

— Afinal, o que há?

Bob abanou a cauda, olhou fixamente para as gavetas e soltou um ganido suplicante.

— Você quer alguma coisa daí?

Charles, pensando compreender o cão, abriu a gaveta de cima. Foi o bastante para que levantasse a sobrancelha.

— Oh, oh!

Num canto da gaveta, encontrou um monte de notas.

Charles apanhou-as e contou. Com um sorriso largo, tirou três notas de libra e duas de dez xelins, guardando-as no bolso. As demais, colocou novamente no lugar.

— Foi uma boa ideia, Bob. Seu tio Charles poderá, agora, pelo menos pagar as despesas. Um dinheirinho sempre faz bem a qualquer um.

O cão latiu outra vez, agora num leve tom de censura. Charles fechou a gaveta:

— Desculpe, meu velho. Já vamos. — Abriu a segunda gaveta, retirando a bola de Bob. — Vamos, divirta-se. — O cão pegou a bola e desceu as escadas.

Charles foi para o jardim. Era uma manhã bela e ensolarada, com perfume de lilases por toda a parte.

A srta. Arundell conversava com o dr. Tanios. Ele proclamava as vantagens da educação inglesa — uma boa educação — para as crianças, e lamentava profundamente não ter podido dá-la a seus filhos.

Charles sorriu maliciosamente, intrometendo-se na conversa e, com habilidade, promovendo a mudança do assunto.

Emily Arundell sorriu-lhe amistosamente, dando-lhe até a impressão de que se divertia com a sua tática e o estimulava a prosseguir com ela.

As esperanças de Charles aumentaram. Talvez, antes de partir... Charles era um incurável otimista.

O dr. Donald foi de carro, à tarde, apanhar Theresa para irem a Worthem Abbey, um dos mais belos recantos das redondezas. Lá chegando, afastaram-se da abadia, aventurando-se pelo bosque.

Rex Donaldson aproveitou a oportunidade para falar a Theresa de suas teorias a respeito de algumas experiências. Ela pouco entendia, mas escutou-o fascinada, pensando consigo mesma como ele era inteligente e adorável.

Em determinado momento, o noivo parou de falar, para depois observar duvidoso:

— Tudo isto deve ser muito maçante para você, Theresa...

— Pelo contrário, querido, é fascinante — respondeu-lhe ela, com convicção. — Prossiga, por favor. Você tira sangue de um coelho infectado...

Logo em seguida, a moça acrescentou, com um suspiro:

— O seu trabalho é muito importante para mim, meu amor.

— Naturalmente — concordou o dr. Donaldson.

Theresa, contudo, nada via de natural naquilo. Eram raros os que trabalhavam, entre os seus amigos, e ainda assim de muito má vontade.

Pensou, como já ocorrera antes, em duas ou três oportunidades, na singularidade de se ter apaixonado por Rex Donaldson. Por que coisas assim tão loucas, ridículas e assombrosas acontecem às pessoas? De nada adiantava questionar: aconteciam, e pronto.

Franziu a testa, pensando em si mesma. Sua turma era tão alegre... e cínica... Os casos de amor, sem dúvida, eram necessários à vida, mas valeria a pena levá-los a sério? Era amar e desamar...

O sentimento que Rex Donaldson lhe inspirava, contudo, era diferente. Era mais profundo. Estava certa de que desta vez era para valer. Sentia por ele uma necessidade simples e profunda. Tudo, nele, a fascinava. Sua calma e seu desinteresse, tão diferentes da vida agitada a que estava acostumada; a frieza clara e lógica da sua inteligência científica, e mais alguma coisa que não sabia nem compreendia: uma força secreta, disfarçada em sua atitude despretensiosa e um tanto pedante, mas que ela sentia instintivamente.

Havia em Rex Donaldson um gênio — e na verdade o fato de ser o trabalho a coisa mais importante da sua vida, sendo ela apenas uma parte, ainda que necessária, aumentava a sua atração por ele. Pela primeira vez na sua vida de prazeres e egoísmo, Theresa contentava-se com um segundo lugar. Por Rex faria tudo. Tudo.

— O dinheiro — disse ela — atrapalha tudo. Se tia Emily morresse, poderíamos casar logo, e em Londres você teria um laboratório cheio de tubos de ensaio e cobaias, sem precisar se preocupar com o bócio das crianças e o fígado das velhas.

— Não há por que — disse Donaldson — sua tia não deva viver muitos anos ainda, se souber se cuidar.

— Sim... — replicou Theresa, desanimada.

No grande quarto de casal, mobiliado de carvalho, o dr. Tanios dizia à mulher:

— Acho que o terreno está adequadamente preparado. Agora, querida, é a sua vez — e continuou a despejar a água de um jarro de cobre fora de moda na bacia de louça adornada com flores.

Bella Tanios, sentada em frente ao espelho, perguntava a si mesma a razão de seu penteado jamais ficar como o de Theresa, muito embora ela caprichasse na cópia.

— Não tenho a menor vontade de pedir dinheiro à tia Emily.

— Não é por você, Bella — ponderou o marido —, mas pelas crianças. Temos sido tão sem sorte em nossos investimentos!

Tanios, que estava de costas, não viu o olhar que a mulher lhe desfechara.

— Ainda assim — disse Bella — prefiro não tocar no assunto. Tia Emily é uma pessoa difícil. Sabe ser generosa, mas não gosta de ser forçada.

Enxugando as mãos, Tanios aproximou-se:

— Francamente, Bella, não compreendo esta sua obstinação. Afinal, para que viemos até aqui?

— Eu não disse — replicou ela — nem nunca pensei que fosse para pedir dinheiro...

— Você concordou, contudo, que nossa única esperança para educarmos as crianças direito era a ajuda de sua tia.

Bella Tanios não respondeu, mas movimentou-se na banqueta, constrangida. Seu rosto, todavia, refletia aquela suave teimosia que muitos maridos inteligentes de mulheres burras aprendem por si mesmo a conhecer.

— Talvez tia Emily — disse ela — possa, por si mesma, sugerir...

— Talvez. Mas até agora não vi o menor indício de que isto poderá acontecer.

— Se tivéssemos — argumentou Bella — podido trazer as crianças... tia Emily não poderia deixar de gostar de Mary. E Edward é tão inteligente...

— Não acredito — replicou Tanios — que ela goste de crianças. Talvez tenha sido até melhor não trazê-las.

— Oh, Jacob, mas...

— Sim, sim, querida. Entendo como se sente, mas solteironas inglesas são tão secas... Diria que nem chegam a ser humanas. Não é verdade que desejamos fazer tudo por Mary e Edward? Não seria nenhum sacrifício para ela dar-nos alguma ajuda.

— Oh, Jacob, por favor... Agora não! — suplicou a sra. Tanios, encarando o marido, que tinha o rosto avermelhado. Estou certa de que não seria sensato, e por isso nem quero experimentar.

Tanios aproximou-se mais e rodeou-lhe os ombros com um abraço. Bella tremeu ligeiramente, mas logo em seguida ficou imóvel, quase rígida.

—Tanto faz — disse ele, com a voz ainda agradável. — Mas creio que fará o que peço. Você sempre o faz, no final. Sim, estou certo de que fará o que digo...

III

O acidente

ERA TARDE, na terça-feira. Emily Arundell colocou-se à porta que dava para o jardim, jogando a bola para Bob.

— Só mais uma vez, Bob — disse Emily Arundell. — Uma boa!

Mais uma vez a bola correu, com Bob atrás dela a toda velocidade.

A srta. Arundell desceu um degrau, apanhou a bola onde o cão a deixara e entrou, com Bob seguindo-a de perto. Guardou a bola na gaveta e olhou o relógio. Eram seis e meia.

— É bom descansar um pouco antes de jantar — disse ao cachorro.

Subiu para o quarto, acompanhada pelo animal, e, ao deitar-se no sofá coberto de cretone, com Bob aos seus pés, não pôde conter um suspiro. Estava satisfeita por ser terça-feira. No dia seguinte, todos iriam embora. Não que aquele fim de semana lhe tivesse revelado qualquer coisa que já não soubesse, mas porque a impediria de esquecer tudo o que já sabia.

— Estou ficando velha — reconheceu para si mesma, repetindo, com certa surpresa: — Estou velha.

Permaneceu deitada de olhos fechados durante meia hora e só os abriu quando Ellen, sua velha criada, apareceu com a água quente. Levantou-se, preparando-se para o jantar.

O dr. Donaldson era esperado para jantar com eles naquela noite. Emily Arundell quisera ter a oportunidade de estudá-lo de perto.

Parecia-lhe ainda difícil de crer que a exótica Theresa quisesse casar-se com aquele rapaz afetado e pedante, e, mais difícil ainda, que ele quisesse casar-se com ela.

À medida que a noite caía, entretanto, não sentiu que estivesse conhecendo muito melhor o dr. Donaldson. Ele era muito educado, formal e, a seu ver, muito aborrecido. Começava a concordar com a srta. Peabody: "Nos seus tempos o material era melhor."

O dr. Donaldson não ficou até tarde; partiu às dez horas, e, logo após, Emily Arundell anunciou que iria se deitar, e subiu as escadas, sendo imitada pelos sobrinhos. Todos pareciam um tanto abatidos, naquela noite.

A srta. Lawson ainda ficou algum tempo no andar de baixo, desencarregando-se das últimas tarefas do dia como deixar o cão ir ao jardim, apagar o fogo, levantar a guarda da lareira e enrolar o tapete, para evitar fagulhas.

Cinco minutos depois, chegou, ofegante, ao quarto da patroa.

— Acho que não esqueci nada — disse ela, dispondo a lã, o saco de trabalho e um livro da biblioteca. — Espero que o livro sirva. A bibliotecária não tinha nenhum dos da sua lista, mas disse que tinha certeza de que gostaria deste.

— Aquela moça é uma tola — disse Emily Arundell. — Seu gosto por livros é o pior que já vi.

— Oh, minha cara, sinto muito. Talvez eu devesse...

— Tolice! A culpa não é sua. — Emily Arundell acrescentou amavelmente: — Espero que tenha gostado desta tarde.

O rosto da srta. Lawson se iluminou. Ela pareceu resplandecer, de maneira quase juvenil.

— Oh, sim, muito obrigada. Foi grande bondade sua dispensar-me. Fizemos as coisas mais interessantes. Pegamos a *Planchette* com coisas interessantíssimas. Recebemos várias mensagens... Óbvio que não se compara às sessões, mas Júlia Tripp teve o maior sucesso com a escrita automática. Recebeu várias mensagens daqueles que já não estão no mundo. Sentimo-nos tão gratas por tais coisas acontecerem!

A srta. Arundell disse, com um leve sorriso:

— É melhor evitar que o vigário a ouça...

— Sim, mas com efeito, minha querida srta. Arundell, estou convencida, absolutamente convencida, de que não há nada de mal nisto. Gostaria apenas que a sra. Lonsdale examinasse o assunto, pois me parece muita tolice condenar uma coisa sem ao menos investigá-la. Tanto Júlia como Isabel Tripp são mulheres muito *espirituais.*

— Talvez espirituais demais para estarem vivas — replicou a patroa.

Emily Arundell não simpatizava muito com Júlia e Isabel Tripp. Achava que suas roupas eram ridículas, sua alimentação vegetariana e de frutas cruas absurda, e suas maneiras afetadas. Eram pessoas sem tradição, sem raízes — e de fato sem raça. Mas ela encontrava alguma diversão no seu zelo, e estava profundamente generosa para privar a pobre Minnie do prazer daquelas amizades.

Pobre Minnie! Emily Arundell observou a dama de companhia com afeição e desdém. Tinha tido a seu serviço tantas mulheres tolas de meia-idade, e todas eram iguais: bondosas, atrapalhadas, subservientes e quase inteiramente despojadas de miolos.

A pobre Minnie parecia verdadeiramente excitada naquela noite. Seus olhos brilhavam e andava de um lado para outro, tocando ao acaso vários objetos, sem perceber o que estava fazendo.

— Gostaria que tivesse ido — disse, gaguejando nervosamente. — Creio que não seja uma crente ainda, mas esta noite havia uma mensagem para E.A., as iniciais eram definitivas. Vinha de um homem que morreu há muito tempo, um militar bem-apessoado, logo identificado por Isabel. Deve ter sido o bom General Arundell. Na mensagem, linda, cheia de amor e conforto, ele dizia que, com paciência, tudo se consegue.

— Tais sentimentos não são muito próprios de Papai — comentou a srta. Arundell.

— Oh, mas nossos entes queridos mudam muito, lá do outro lado. Lá tudo é amor e compreensão. Então a *Planchette* escreveu qualquer coisa sobre uma *chave,* acho que era a chave do armário Boule... podia ser?

— A chave do armário Boule? — a voz de Emily Arundell pareceu interessada.

—Acho que sim. Pensei que referia-se a papéis importantes ou coisa parecida. Há um caso idêntico de uma mensagem recomendando procurar em um determinado móvel, e por fim achou-se um testamento.

— Não havia nenhum testamento no armário Boule — disse a srta. Arundell. —Vá deitar, Minnie. Está cansada e eu também. Qualquer dia destes convido os Tripp para a noite.

— Oh, será formidável! Boa noite, querida. Está certa de que não lhe falta nada? Espero que toda esta gente não a tenha cansado. Direi a Helen para arejar muito bem a sala, amanhã, limpar as cortinas, porque o fumo deixa muito cheiro. Diria que é muita bondade sua permitir tanto fumo na sala.

— É preciso fazer algumas concessões ao modernismo — respondeu Emily Arundell. — Boa noite, Minnie.

Quando a dama de companhia deixou o quarto, Emily Arundell ficou se questionando se este negócio de espiritismo seria realmente bom para Minnie. Seus olhos pareciam que iam saltar das órbitas, e ela estava tão nervosa e excitada...

"Estranho tudo isto sobre o armário Boule", pensou Emily Arundell, deitando-se. Sorriu levemente ao lembrar a cena, anos atrás. A chave que aparecera logo após a morte do pai, e a chuva de garrafas vazias de *brandy* que caíra ao abrirem a porta do armário! Eram pequenas coisas como esta, coisas certamente ignoradas por Minnie Lawson e Isabel e Júlia Tripp, que faziam uma pessoa indagar se, afinal, não haveria algo no espiritismo.

Deitada na grande cama de colunas, sentiu-se dominada por uma terrível insônia. Ultimamente, quanto menos sono tinha, mais desprezava a recomendação do dr. Grainger para que tomasse um sonífero. Achava que estas drogas eram para gente fraca, que não suportava uma dor de dentes ou uma noite insone.

Muitas vezes levantava-se e silenciosamente passeava pela casa, procurando um livro, ajeitando um adorno ou uma jarra de flores, ou escrevendo uma ou outra carta. Nestas horas experimentava a sensação de que também a casa não dormia, como se ao seu lado passeassem fantasmas, os fantasmas de suas irmãs

Arabella, Matilda e Agnes, e do irmão Thomas, tão bom rapaz antes de Aquela Mulher o apanhar! E até mesmo o fantasma do General Charles Laverton Arundell, aquele tirano doméstico de maneiras encantadoras, que gritava e aborrecia suas filhas, mas que, apesar disso, era para elas motivo de orgulho pela sua intervenção na revolta indiana e pela sua experiência do mundo. Que importância tinha se, num ou noutro dia, ele "não estava muito bem", como suas irmãs diziam, evasivamente?

Lembrou-se, em seguida, do noivo da sobrinha, pensando: "Creio que ele jamais se dará à bebida! Considera-se um homem, mas bebeu água mineral no jantar! Água mineral, e eu abrira um Porto especial de Papai!"

Charles, contudo, fizera justiça ao Porto. Oh! Se pelo menos se pudesse acreditar nele! Se pelo menos não se soubesse que ele...

Seus pensamentos se interromperam, voltando-se para os acontecimentos do fim de semana.

Tudo parecia vagamente inquietante. Tentou pensar noutra coisa, para não se preocupar. Inútil. Ergueu-se num cotovelo e olhou as horas, à luz do candeeiro que permanecia aceso toda a noite.

Uma hora, e ela estava mais acordada do que nunca. Levantou-se, calçou os chinelos e vestiu o robe. Desceria apenas para verificar os livros de contas a serem pagas na manhã seguinte.

Como uma sombra deixou o quarto e seguiu pelo corredor, onde uma luz elétrica permanecia igualmente acesa a noite toda. Chegou ao alto da escada, segurou o corrimão e, inesperadamente, tropeçou. Tentou recuperar o equilíbrio, não conseguiu, e caiu de cabeça escadaria abaixo.

O barulho da queda e o grito acordaram a casa. Portas se abriram, luzes se acenderam. A srta. Lawson correu para a porta do quarto, no alto da escada. Desceu gritando aflita e, um a um, chegaram os outros: Charles, de roupão, bocejava; Theresa, de camisola de seda escura; Bella, de quimono azul-marinho e *bobbies*.

Atordoada e confusa, Emily Arundell estava no chão, com dores no ombro, num tornozelo, no corpo inteiro. Tinha consciência dos que a rodeavam, da tola Minnie Lawson chorando e fazendo gestos inúteis com as mãos; de Theresa, com expressão assustada nos olhos escuros; de Bella, de boca aberta e ar de expectativa; e de Charles, que parecia falar de muito longe que fora "a bola daquele maldito cão".

— Deve tê-la deixado na escada, e ela tropeçou. Olhem, aqui está!

Em seguida, entretanto, surgiu alguém que autoritariamente afastava os outros, ajoelhava-se ao seu lado, tocando-lhe com mãos experientes. Sentiu-se aliviada. Tudo estaria bem agora. O dr. Tanios dizia, em tom firme e tranquilizador:

— Nenhum osso quebrado. Apenas algumas contusões, e, evidentemente, o susto. Teve muita sorte.

Em seguida, pegou-a e levou-a para o quarto, colocando-a na cama. Durante um minuto tomou-lhe o pulso e, voltando-se para Minnie, que ainda choramingava, atrapalhando, pediu-lhe *brandy* e água quente.

Emily Arundell, confusa, trêmula e dolorida, ficou profundamente agradecida a Jacob Tanios naquele momento. Sentia-se aliviada por estar em mãos experientes, que transmitiam exatamente aquela sensação de tranquilidade, ou confiança, que as mãos de um médico devem transmitir.

Havia algo — algo que ela não conseguia identificar, algo inquietante — em tudo o que ocorrera, mas não queria pensar naquilo por enquanto. Tomaria o *brandy* e dormiria, como aconselharam.

Contudo, faltava alguma coisa... ou alguém.

Bem, não pensaria... doía-lhe o ombro. Tomou a bebida e ouviu o dr. Tanios dizer — num tom firme — que estaria bem agora.

Fechou os olhos.

Acordou com um barulho familiar — um latido suave e abafado. Imediatamente estava desperta. Bob, aquele malandro! Latia do lado de fora, daquela maneira especial que denunciava quando passava a noite na rua.

A srta. Arundell apurou o ouvido, tranquilizando-se. Minnie descia a escada para abrir-lhe a porta. Em seguida, ouviu suas repreensões tolas: "Seu malandro, muito malandro..." A porta se abriu. A cama de Bob ficava sob a mesa.

Naquele instante Emily compreendeu o que faltara na hora do acidente: Bob. Normalmente, toda aquela confusão — sua queda, gente correndo — teria feito Bob latir na copa, mas tal não acontecera.

Então, era aquilo que a preocupara. Agora, porém, tudo se explicava. Bob ficara na rua, propositada e vergonhosamente, em vez de voltar de seu passeio noturno habitual. Vez por outra cometia esses deslizes, mas o comportamento adotado em seguida o desculpava.

Então tudo estava bem. Mas estava? O que mais haveria para preocupá-la, atormentando-a no fundo do pensamento? Algo ligado ao acidente.

Ah, sim, alguém dissera — Charles — que ela tropeçara na bola de Bob, que teria sido deixada no alto da escada...

A bola estava lá. Ele a pegara e exibira.

A cabeça de Emily Arundell doía, o ombro latejava. Seu corpo estava dolorido. Mas, apesar disto, sua mente estava clara e lúcida. O choque já não a confundia. Sua memória estava perfeita.

Reviveu mentalmente todos os acontecimentos, desde as seis da tarde da véspera, passo a passo. Até que chegou ao momento em que estava no alto da escada e começou a descer. Sentiu um calafrio, horrorizada.

Obviamente deveria estar enganada. Depois de acidentes como aquele, as pessoas costumam imaginar coisas. Tentou desesperadamente recordar a escorregadia bola de Bob sob seus pés, mas não conseguiu.

Ao contrário.

— Oh, nervos — exclamou Emily Arundell. — Fantasias ridículas!

Mas seu espírito vitoriano, sensível e vivaz, não admitiu aquilo, por instantes. Os vitorianos não eram otimistas tolos. Acreditavam no pior, com a maior facilidade.

Emily Arundell acreditou no pior.

IV

A srta. Arundell
escreve uma carta

ERA SEXTA-FEIRA.

Os sobrinhos tinham partido.

Regressaram na quarta-feira, como estava previsto anteriormente, embora todos se tivessem oferecido para ficar, porém a srta. Arundell recusara firmemente. Explicara que preferia estar "muito quieta".

Nos dois dias decorridos de sua partida, Emily Arundell mergulhara alarmantemente nos seus pensamentos, a ponto de muitas vezes não ouvir o que Minnie Lawson lhe dizia. Olhava-a fixamente e, seca, ordenava-lhe que começasse tudo do novo.

— Foi do *susto*, coitadinha — disse a srta. Lawson.

E acrescentava, com aquela espécie de estranho prazer que as pessoas aborrecidas encontram na tragédia:

— Talvez jamais volte a ser a mesma.

Ao contrário, o dr. Grainger zombava dela suavemente. Disse-lhe que até o fim da semana já estaria descendo as escadas, que fora uma sorte não ter quebrado nada, e perguntava que diabo de doente era ela para um médico lutador? Se todos os seus pacientes fossem como ela, bem que poderia tirar a placa da porta.

Emily Arundell replicava espirituosamente — ela e o dr. Grainger eram amigos de muito tempo. Brincavam, um com o outro, e sempre desfrutavam de grande prazer em fazê-lo.

Agora, contudo, depois de o médico ter saído, Emily Arundell ficou de testa franzida, pensando e repensando, e respondendo distraidamente às tolas recomendações de Minnie Lawson, e logo voltando à realidade para dirigir-se a ela em tom azedo.

— Coitadinho do Bobizinho — dizia a srta. Lawson acariciando o cão, que tinha um cobertor ao lado da cama da sua dona. — Não ficaria triste se soubesse o que fez à sua pobre dona?

— Não seja idiota, Minnie. Onde está o seu sentido britânico de justiça? Não sabe que toda pessoa neste país é tida como inocente até que provem o contrário?

— Oh, mas sabemos...

— Não sabemos nada. — Replicou Emily. — Trate de ficar quieta. Vive mexendo aqui e ali. Não sabe como se comportar num quarto de um doente? Vá embora, e mande Ellen até aqui.

Submissa, a srta. Lawson retirou-se.

Num ar de certa autorreprovação, Emily Arundell viu-a sair. Por mais aborrecida que fosse, fazia o possível para ser útil.

Então sentiu novamente o calafrio. Sentia-se desesperadamente infeliz. Detestava ficar parada, não importava a razão, como ocorre com todas as pessoas idosas e de espírito forte. Todavia, não podia fazer nada. Nem sabia o que fazer.

Em certos momentos, chegava a desconfiar das suas faculdades, bem como da capacidade da sua memória. E não contava com ninguém, absolutamente ninguém, em que pudesse confiar.

Meia hora mais tarde, quando a srta. Lawson entrou no quarto, nas pontas dos pés, trazendo-lhe uma xícara de caldo de carne e interrompendo-se irresoluta ao vê-la de olhos fechados, Emily Arundell pronunciou duas palavras com tanta força e decisão que por pouco a outra não derrubou a louça.

— Mary Fox!

— O cóccix, querida? Sente alguma coisa no cóccix?

— Está ficando surda, Minnie. Não falei nada sobre o cóccix. Disse Mary Fox. A mulher que conheci em Cheltenham no ano passado. Era irmã de um dos cônegos da Catedral de Exeter. Dê-me logo essa xícara, pois já derrubou quase tudo no pires. E jamais entre num quarto nas pontas dos pés. Não sabe o quanto isso é irritante. Agora desça e traga-me o catálogo de telefones de Londres!

— Posso procurar o número, ou o endereço, querida?
— Se quisesse, pediria. Vamos, faça o que digo. Apanhe a lista e alguma coisa para escrever.

Minnie Lawson obedeceu.

Ao retirar-se, após ter feito tudo que lhe fora pedido, Emily Arundell disse-lhe subitamente:

—Você é uma criatura boa e leal, Minnie. Não ligue para a minha grosseria. Cão que ladra não morde... Tem sido muito paciente e boa para mim...

A srta. Lawson deixou o quarto com o rosto vermelho, dizendo palavras incoerentes.

Sentada na cama, Emily Arundell começou a escrever uma carta. Redigiu vagarosa e cautelosamente, fazendo várias pausas para pensar melhor, e abusando do sublinhar. Usou ambas as faces do papel, pois aprendera na escola a não desperdiçá-lo jamais. Suspirou de satisfação ao terminar, assinou-a, envelopou-a e subscritou-a. Então pegou outra folha de papel. Desta vez escreveu um rascunho e, depois de relê-lo e introduzir algumas correções, passou-o a limpo. Releu tudo novamente com cuidado e, certa de que escrevera o que realmente queria, envelopou a carta e a endereçou a William Purvis, Esq., srs. Purvis, Purvis, Charlesworth & Purvis, Advogados, Harchester.

Pegou novamente o primeiro envelope, endereçado a Hercule Poirot, e abriu o catálogo. Achando o endereço, completou o trabalho.

Bateram na porta.

Emily Arundell, irritada, guardou a carta para Hercule Poirot na sua pasta. Não queria levantar a curiosidade de Minnie, que era muito perguntadeira.

— Entre — ordenou, reclinando-se, com um suspiro de alívio, nos travesseiros.

Dera alguns passos para esclarecer a situação.

V

Poirot recebe uma carta

OS EVENTOS QUE ACABEI de narrar só me foram dados a conhecer algum tempo depois. Mas, como interroguei minuciosamente vários membros da família, creio tê-los descrito com exatidão.

Estava com Poirot quando ele recebeu a carta da srta. Arundell.

Lembro-me bem do dia. Era uma manhã quente e abafada do final de junho.

Poirot tinha uma particular rotina quando abria sua correspondência. Pegava uma carta de cada vez, observava-a em todos os seus detalhes, e depois a abria com a espátula. O conteúdo era lido com atenção e, em seguida, colocado em uma das quatro pilhas atrás do bule de chocolate (ele sempre tomava chocolate pela manhã, o que era abominável). E tudo isto com uma regularidade mecânica.

A rotina era tão constante e certa que qualquer quebra era imediatamente percebida.

Eu estava sentado perto da janela, observando o tráfego. Acabava de regressar da Argentina e me parecia particularmente excitante estar novamente em Londres.

Virando a cabeça, disse, com um sorriso:

— Poirot... eu, o humilde Watson... vou arriscar um palpite.

— Encantado, meu amigo. O que é?

Empertiguei-me e disse, pomposamente:

— Você recebeu esta manhã uma carta de particular interesse!

— Acertou em cheio, Sherlock Holmes!

— Você sabe, conheço os seus métodos, Poirot. Se lê uma carta duas vezes é porque ela tem um interesse muito especial.

— Julgue por você mesmo, Hastings.

Com um sorriso, o amigo passou-me a carta. Peguei-a com grande interesse, mas não pude deixar de fazer uma careta. A caligrafia era cheia de floreios, e estava escrita dos dois lados do papel.

— Tenho que ler isto, Poirot? — reclamei.

— Se não quiser, não.

— Por que não me diz do que se trata?

— Preferiria que fizesse o seu próprio julgamento. Mas, se isso o aborrece...

— Não, não — protestei. — Quero saber exatamente do que se trata.

Certo de que estava exagerando, comecei a ler, sem fazer outro comentário.

"*Sr. Hercule Poirot.*

Caro Senhor:

Após muitas dúvidas e indecisões, escrevo-lhe (a última palavra estava riscada, e a carta prosseguia), *atrevo-me a escrever-lhe na esperança de que possa ajudar-me num assunto de natureza estritamente particular* (as palavras estritamente particular tinham sido sublinhadas três vezes). *Devo dizer que seu nome não é, para mim, inteiramente desconhecido. Foi-me mencionado por uma srta. Fox, de Exeter, e, embora não o conhecesse, disse que a irmã de seu cunhado (cujo nome lamento não recordar) lhe falara da sua bondade e discrição nos mais altos termos* (sublinhado uma vez). *Não inquiri, é óbvio, a natureza* (sublinhado uma vez) *da investigação da qual se encarregou, mas concluí, das palavras da srta. Fox, que se tratava de assunto doloroso e confidencial.*"

(As últimas quatro palavras muito sublinhadas.)

— Poirot — disse —, tenho de prosseguir? Ela chega, afinal, a alguma coisa?

— Continue, meu amigo, paciência.

— Paciência! — resmunguei. — Até parece que uma aranha teria caído num tinteiro e depois saiu passeando pelo papel! Minha tia-avó Mary escrevia do mesmo jeito...

Finalmente, voltei à leitura.

"*No presente dilema, ocorreu-me que o senhor poderia conduzir algumas investigações para mim. O assunto é tal que, como compreenderá, obviamente, requer a máxima discrição, e posso — e preciso mesmo dizer quão sinceramente espero e oro* (oro sublinhado duas vezes) *que assim seja — estar inteiramente enganada; temos, às vezes uma tendência para atribuir demasiada significância a fatos que têm uma explicação natural."*

— Não pulei nada? — perguntei perplexo.

Poirot sorriu, assegurando-me que não.

— Mas isto não parece fazer sentido. De que ela está falando?

— *Continuez toujours.*

"*O assunto é tal que, como compreenderá...*" Não, eu tinha ido além. Ah, sim, era aqui: "*Nas circunstâncias, como estou certa, o senhor será o primeiro a reconhecer a minha impossibilidade de consultar qualquer pessoa de Market Basing* (olhei para o início da carta e li: *Littlegreen House, Market Basing, Berks*), *mas, ao mesmo tempo, como também entenderá, sinto-me inquieta* (sublinhado). *Tenho, nos últimos dias, me criticado por ser imaginativa* (sublinhado duas vezes) *sem que haja uma razão. Isto, entretanto, tem apenas servido para que eu me sinta ainda mais perturbada. Talvez esteja atribuindo demasiada importância a alguma coisa que, no fim, não passará de tolice* (sublinhado duas vezes), *mas minha inquietação persiste. Sinto que preciso desesperadamente de tranquilidade sobre este assunto que começa a me perturbar a mente e a saúde e, como deve imaginar, estou numa situação dificílima, já que não posso dizer nada a ninguém* (sublinhado com riscos grossos). *É claro que, com sua sabedoria, poderá dizer que tudo não passa de impressão. Os fatos podem ter uma explicação inocente* (sublinhado). *Todavia, por mais que pareçam banais, sinto-me cada vez mais intrigada e assustada desde o incidente da bola do cão. Assim, apreciaria saber a sua opinião e ter os seus conselhos. Estou certa de que isto tirar-me-ia um grande peso. Poderia dizer-me quais os seus honorários e o que me aconselha a respeito?*

Devo destacar novamente que ninguém aqui sabe absolutamente de nada. Não ignoro a banalidade e a insignificância dos fatos, mas minha saúde não vai bem e meus nervos (sublinhado três vezes) *já não são como antes. Estou certa de que preocupações deste tipo não me fazem bem, e quanto mais penso no caso, mais me convenço de ter razão, sem que haja possibilidade de erro. Obviamente não direi nada* (sublinhado) *a ninguém* (sublinhado).

Aguardando suas notícias em breve, fico, com consideração,

Emily Arundell"

Virei e revirei a carta, procurando outras páginas, e perguntei a Poirot o que queria dizer aquilo tudo. Ele deu de ombros.

— O que, na verdade?

Sacudi o papel, impaciente, e explodi:

— Que mulher! Por que a sra.... ou srta. Arundell não pode...?

— Senhorita, creio eu. A carta é tipicamente de uma solteirona.

— Sim, de uma velhota solteirona e chata. Por que não diz logo o que quer?

Poirot deu um suspiro.

— Uma lamentável ausência de ordem e método nos processos mentais. E, sem ordem e sem método, Hastings...

— É claro! — respondi abruptamente. — Faltam exatamente aquelas pequenas células acinzentadas...

— Não diria isto, meu amigo.

— Digo, sim. Onde está o sentido de uma carta dessas?

— Na verdade, faz muito pouco sentido — admitiu Poirot,

— Um interminável palavrório acerca de nada. Talvez um aborrecimento com o cãozinho do colo... um cachorro asmático ou um pequinês histérico!

Observei meu amigo com curiosidade, e arrematei:

— No entanto, você leu duas vezes esta carta. Não compreendo, Poirot.

— Iria direto para o lixo, não é Hastings? — perguntou, com um sorriso.

—Temo que sim. Sei que, como sempre estou bobeando, mas não vejo nada nesta carta!

—Todavia, existe nela um pormenor da maior importância. Algo que de imediato me chamou a atenção.

— Espere, não diga — roguei. — Deixe-me descobrir sozinho.

Tolice de minha parte, mas reli a carta com a maior atenção e, no fim, decepcionado, abanei a cabeça: — Não encontro nada. A velhota está apavorada, mas isto acontece com tudo quanto é velha. Só se o seu instinto...

Poirot levantou a mão, ofendido:

— Instinto! Você sabe que detesto esta palavra. Essa coisa de "algo me diz", *jamais de la vie!* Eu *raciocino*. Uso aquelas células cinzentas. Há um ponto interessante nessa carta. Um ponto que você não percebeu.

— Muito bem, compro a ideia.

— Compra. Compra o quê?

— É modo de dizer. Significa que tem minha permissão para me gozar, mostrando a minha burrice.

— Não é burrice, Hastings. Você apenas não foi bom observador.

— Esqueça. Qual é o ponto de interesse? Ainda que seja o incidente da bola do cão. Que interesse há nisto?

Poirot não deu atenção ao meu comentário, para esclarecer com toda a calma e serenidade:

— A data.

— A data?

Peguei novamente a carta e constatei que, no canto esquerdo, ela pusera "17 de abril".

—Vinte e oito de junho, hoje... *C'est curieux, n'est ce pas?* Mais de dois meses...

Abanei a cabeça, intrigado.

— Então por que ela não a destruiu? Por que a guardou por mais de dois meses, para, afinal, remetê-la?

— Como você vê, *há* um ponto. E um ponto decididamente curioso.

—Vai responder?

— *Oui, mon ami.*

O silêncio do quarto era apenas quebrado pelo arranhar da pena de Poirot. A manhã estava quente, não corria nem uma aragem, e, pela janela, vinha um cheiro de pó e asfalto.

Poirot levantou-se da escrivaninha, segurando a carta que acabara de escrever, abriu uma gaveta e retirou uma caixinha quadrada. Dela, retirou um selo. Molhou-o numa esponja e já estava para colá-lo no envelope quando parou, balançando a cabeça.

— *Non!* — exclamou. — Seria tolice. Rasgou a carta e atirou no lixo os pedaços de papel. — Este assunto não pode ser resolvido assim. *Iremos* lá, meu amigo!

—Você está dizendo que vamos a Market Basing?

— Exatamente. Por quê não? Não está abafado hoje em Londres? Os ares do campo devem estar bem mais agradáveis...

— Bem, se coloca assim...Vamos de carro?

Eu tinha acabado de comprar um Austin de segunda mão.

— Excelente. O dia está ótimo para um passeio de carro. Não será preciso ligar o aquecedor. Basta um sobretudo leve, um lenço de seda...

— Meu amigo, não vamos para o Polo Norte! — protestei.

— É preciso evitar a gripe — advertiu Poirot.

— Mesmo num dia como este?

Ignorando meus protestos, Poirot vestiu um sobretudo leve e pôs um lenço de seda no pescoço. E depois de ter colocado o selo sobre o mata-borrão, de face para baixo, deixamos o escritório.

VI

Rumo à Littlegreen House

NÃO SEI COMO Poirot poderia sentir-se dentro do sobretudo, com o lenço ao pescoço. Por mim, achava que minha cabeça fervia na saída de Londres. Um carro aberto, em movimento, está longe de ser fresco num dia de verão.

Ainda assim, quando deixamos Londres e ganhamos velocidade pela Great West Road, senti-me melhor.

A viagem demorou cerca de hora e meia e já se aproximava o meio-dia quando chegamos a Market Basing. Originariamente localizada à margem da estrada principal, agora uma moderna variante deixava-a a cerca de três milhas ao norte da maior corrente de tráfego, o que lhe permitia conservar um ar de digna e calma antiguidade. Sua única rua larga e a ampla praça do mercado pareciam dizer: "Em tempos idos, já fui um lugar importante, e continuo a sê-lo para toda pessoa sensata e de categoria. Deixem que o mundo moderno e veloz siga pela nova estrada; eu fui construída para durar, numa época em que a solidez e a beleza andavam de mãos dadas."

Havia uma grande área de estacionamento no meio do grande largo, porém poucos veículos. Encostei o Austin, Poirot se desfez das roupas supérfluas, certificou-se de que as pontas do bigode mantinham uma vistosa simetria, e pusemo-nos a caminho.

Pelo menos uma vez nossa primeira tentativa de saber onde ficava uma casa não esbarrou na eterna resposta "não sei, não sou daqui...", talvez porque ninguém fosse de fora, em Market Basing.

Pelo menos era esta a impressão que se tinha, e por isso mesmo eu e Poirot (e sobretudo ele) começamos a ser notados, já que não nos enquadrávamos no ambiente antiquado de uma aldeia comercial inglesa, aferrada às suas tradições.

— Littlegreen House? — O homem, grandalhão, de olhos grandes, observou-nos pensativo. — Ali, na rua principal, sigam reto. Fica à esquerda. Não há como errar. Não há nenhum nome no portão, mas é a primeira casa grande depois do banco. Não tem erro — repetiu.

Seus olhos nos seguiram para conferir se íamos certo.

— Que coisa! — protestei. — Neste lugar há alguma coisa que me faz sentir conspícuo. Quanto a você, Poirot, tem uma aparência positivamente exótica.

— Dá para notar que sou estrangeiro?

— Está escrito na testa! — assegurei.

— No entanto, este terno foi feito por um alfaiate inglês — murmurou o detetive.

— O hábito não faz o monge — sentenciei. — Ninguém pode negar que você, Poirot, tem uma personalidade que se destaca. Fico até intrigado como isto não interferiu em sua carreira.

Poirot suspirou:

— É porque você cismou que um detetive tem necessariamente de ser um sujeito de barba postiça, escondido atrás de uma coluna. A barba postiça não passa de *vieux jeu,* e só o ramo inferior da minha profissão tem o costume de se esconder. Os Hercule Poirot, meu caro, só precisam pensar e analisar os fatos, sentados numa cadeira.

— O que explica o fato de estarmos a pé, nesta rua quentíssima, nesta quentíssima manhã...

— Acertou na mosca, Hastings. Desta vez, admito, passou-me a perna...

Não tivemos dificuldades para encontrar a Littlegreen House. Fomos surpreendidos, contudo, pela placa de um agente imobiliário.

Quando nos postamos em frente a ela, minha atenção foi atraída pelos latidos de um cão. Os arbustos eram finos, naquele ponto, e foi fácil vê-lo. Era um *terrier* pelo de arame, firme, com as patas levantadas e bem plantadas no chão, levemente inclinadas para um lado. Latia com a óbvia alegria de quem gostava de vozes, o que indicava que suas intenções eram amáveis.

"Um bom vigia, não sou?" — parecia perguntar. "Não se preocupe comigo; ladro porque gosto de ladrar, principalmente porque é meu dever fazê-lo. Afinal, é preciso que saibam que por aqui existe um cão. Esta manhã tem sido tão aborrecida que é um prazer ter alguma coisa para matar o tempo. Vão entrar? Espero que sim. Bem que gostaria de um bate-papo..."

— Alô, meu velho — cumprimentei, estendendo-lhe a mão.

O animal enfiou o pescoço por entre as grades, farejou desconfiado e depois abanou o rabo, emitindo latidos sincopados.

"Como não fomos apresentados, tenho de disfarçar. No entanto, sei que você sabe iniciar um bom bate-papo..." — deve ter dito o cão.

— Bom sujeito — respondi.

— Uff! — respondeu efetivamente o *terrier*, com cordialidade.

— Então, Poirot? — perguntei ao detetive, deixando de lado a conversa canina.

Havia no rosto de Poirot um ar estranho, que não consegui identificar. Uma certa excitação deliberadamente reprimida, ao que me pareceu.

— O incidente da bola do cão... — murmurou. — Bem, ao menos o cão nós já temos!

— Ufff! — repetiu, nervoso, o nosso novo amigo, que se sentou, abriu a boca e observou-nos esperançoso.

— E agora, o que fazemos? — insisti. O cão parecia fazer a mesma pergunta.

— *Parbleu!* Que faremos? Procuremos os senhores... Como se chamam?... Srs. Gabler & Stretcher.

— Sim, parece o mais indicado — concordei. Viramos as costas, ouvindo alguns latidos decepcionados do nosso novo amigo.

O escritório de Gabler & Stretcher ficava na Praça do Mercado. Entramos por um pequeno hall, sendo recebidos por uma jovem de adenoide e olhos baços.

— Bom dia — saudou Poirot, delicadamente.

A moça, que naquele momento atendia o telefone, apontou para uma cadeira. Poirot sentou-se, enquanto eu procurava outra e fazia o mesmo.

— Não sei ao certo — dizia a moça ao telefone. — Não, não sei qual será a taxa... Como?... Água encanada, suponho, mas não tenho certeza... Sinto muito... Não, saiu... Não, não sei... Sim, pode ficar certo. Pergunto, sim... 8135... Desculpe, não ouvi bem... 8935... 39... Ah, 5135!... Sim, digo para telefonar depois das seis... Oh, desculpe, antes das seis... Muito obrigada.

Desligou e rabiscou o número 5319 no bloco. Em seguida, fitou Poirot de modo inquisitivo, mas desinteressado.

— Soube que há uma casa à venda nos arredores — começou Poirot, conciso. — Creio que chama-se Littlegreen House.

— Oh, Littlegreen House — repetiu vagamente a moça. — Disse Littlegreen House?

— Foi, isso mesmo.

— Littlegreen House — tornou a moça, fazendo um terrível esforço mental. — Oh, creio que o sr. Gabler sabe disso.

— Posso falar com ele?

— Não está — respondeu a diabólica criatura, com uma espécie de tênue e anêmica satisfação, como quem dissesse "ponto para mim!"

— A que horas estará de volta?

— Não sei.

— Você compreende, estou procurando uma casa nas redondezas — disse Poirot.

— Oh, sim — respondeu a garota, sem o menor interesse.

— ... e gostei de Littlegreen House. Poderia dar-me informações mais detalhadas?

— Informações? — perguntou ela, assustada.

— Sobre a Littlegreen House...

A garota abriu uma gaveta, contrariada, tirando um maço de papéis em desordem, e chamou:
— John!
Um rapaz empertigado, no canto da sala, levantou os olhos.
— Pois não!
— Temos alguma informação sobre... Como disse que era o nome?
— Littlegreen House — respondeu Poirot, soletrando.
— Ali — apontei — há um grande cartaz dela.
A garota me olhou friamente, como dizendo que dois contra um era covardia. Recorreu então aos seus *reforços:*
— Não sabe nada sobre a Littlegreen House, não é, John?
— Não, não. Mas deve estar no fichário.
— Sinto muito — lamentou ela, querendo expressar exatamente o inverso.
— *C'est domage.*
— Como?
— É pena.
— Temos uma bonita casa em Hemel End, com dois quartos e uma sala... — informou, sem entusiasmo, mas como quem estivesse tentando cumprir suas obrigações para com o patrão.
— Não interessa, obrigado.
— ... e outra, semi-independente, com uma pequena estufa. Posso dar-lhe informações sobre elas...
— Não, obrigado. Queria saber qual aluguel estão pedindo pela Littlegreen House...
— Não é para alugar — disse a mulherzinha, abandonando a sua posição de inteira ignorância, no prazer de fazer outro ponto.
— É só para venda.
— Mas a sua placa diz que está para alugar ou vender.
— Não posso dizer nada a respeito disso, mas é só para venda.
Nesta altura da batalha a porta se abriu, dando entrada a um homem grisalho. Observou-nos com um brilho no olhar e franziu as sobrancelhas na direção da funcionária. — Em que posso servi-los?
— Sr. Gabler — identificou a mulherzinha.

Gabler abriu-nos a porta de sua sala de modo gentil.

— Entrem, senhores. — Ofereceu-nos duas cadeiras, num gesto largo, e, instalando-se à escrivaninha, perguntou novamente em que nos poderia ser útil.

Poirot começou novamente com perseverança.

— Desejava alguns detalhes sobre a Littlegreen House...

Não precisou ir mais longe:

— Oh, a Littlegreen House! — exclamou Gabler. — Aquilo é que é casa! Uma pechincha! Acaba de ser posta à venda, e posso assegurar-lhes que é raro termos uma casa como aquela ao preço pedido. A moda está voltando, como todo o bom gosto. Todo mundo está cansado das construções bobas. Querem agora construções sólidas, coisa boa. Uma bela casa, com personalidade. Georgiana de ponta a ponta, é o que querem agora. Há uma certa má vontade para com as casas de hoje, se é que me compreendem... Por esta razão, não creio que a Littlegreen House fique por muito tempo à venda. Será disputada, cavalheiros, disputada! Ainda no sábado passado um parlamentar veio vê-la. Gostou tanto que voltará neste fim de semana. Além disso, também está interessado nela um cavalheiro da bolsa de valores. Hoje quem vem para o campo quer sossego. Quer ficar longe das estradas congestionadas. Há gente que se conforma com o barulho, mas para cá só vem gente de classe. E é isto que a Littlegreen House tem: classe! Não podemos negar o fato de que, naquele tempo, sabiam construir para gente fina. Podem crer: não teremos a Littlegreen House por muito tempo em nossos anúncios!

Finalmente Gabler parou para tomar fôlego. Poirot aproveitou a ocasião para perguntar:

— Teve muitos donos, nos últimos tempos?

— Pelo contrário! Durante mais de 50 anos pertenceu à mesma família, os Arundell. Gente muito respeitada por aqui, senhoras da velha escola.

Levantou-se como um furacão, abriu a porta e pediu:

— Informações sobre a Littlegreen House, srta. Jenkins, mas depressa!

Sentou-se novamente à escrivaninha. Poirot prosseguiu:

— Preciso de uma casa mais ou menos por aqui, mas não num lugar muito ermo, se me compreende...

— Perfeitamente, perfeitamente. As casas muito isoladas dão muitos problemas e até é difícil arranjar empregados. Temos aqui todas as vantagens da província, mas não as desvantagens!

A srta. Jenkins entrou com um papel datilografado, colocou-o à frente do patrão, que a dispensou com um gesto.

— Eis aqui — disse Gabler, lendo com a rapidez de sua experiência no assunto. — Casa de estilo, com quatro salas, oito quartos, banheiros, boa cozinha, dependências amplas, cavalariça etc. Água própria, jardins antigos e de manutenção barata, com área total de três acres, duas estufas etc. Preço: 2.850 libras, aceitando-se oferta.

— Poderia dar-me permissão para vê-la?

— Claro, senhor — respondeu Gabler, que começou logo a escrever. — Nome e endereço, por favor?

Ligeiramente surpreendido, ouvi Poirot identificar-se. Meu amigo disse chamar-se Parotti.

— Temos mais uma ou duas propriedades que talvez lhe interessem — ponderou o corretor.

Poirot permitiu-lhe anotar mais duas casas, indagando, em seguida:

— A Littlegreen House pode ser vista a qualquer hora?

— Pode, sim, senhor. As empregadas estão lá. No entanto, vou avisar por telefone, para que tenhamos certeza. Quer ir lá agora ou depois do almoço?

— Creio que será melhor depois do almoço.

— Assim, recomendarei que o esperem por volta das duas. Está bem para o senhor?

— Está ótimo, obrigado. Disse que a dona da casa era... srta. Arundell, não?

— Lawson, srta. Lawson. É este o nome da atual proprietária. A srta. Arundell, sinto dizer, faleceu há pouco tempo, e é esta a razão da casa estar à venda. Mas, asseguro-lhe novamente, será disputada!

Cá para nós: se decidir fazer uma oferta, não perca tempo! Como já lhe disse, há outros dois interessados, e não me surpreenderia se recebesse, de qualquer um dos dois, uma proposta por esses dias. Cada um tem conhecimento do interesse do outro. Não há nada melhor do que a concorrência para incitar um homem... — soltou uma gargalhada, e concluiu: — Não gostaria de decepcioná-lo.

— A srta. Lawson está com pressa de vendê-la, pelo que vejo.

Gabler respondeu, quase cochichando:

— Exatamente. A casa é grande demais para ela, uma mulher de meia-idade e que vive sozinha. Por isso decidiu vendê-la e instalar-se em Londres. Não há por que não compreender isto, o que explica o preço baixo que ela pede.

— Então acha que ela levaria em consideração uma proposta?

— Estou certo que sim. No entanto, cá para nós: não lhe será difícil vender por um preço aproximado ao que pede. Hoje, para se construir uma casa daquelas, seria necessário pelo menos uma seis mil libras. Isto sem levar em conta o terreno e a frente.

— A srta. Arundell morreu de repente?

— Eu não diria assim... *Anno domini... anno domini*. Já tinha passado dos setenta e poucos anos, e andava doente há muito tempo. Era a última da família... Mas talvez o senhor conheça algo sobre os Arundell...

— Conheço algumas pessoas que têm esse nome e parentes na região. Acho que são da mesma família.

— Talvez. Eram quatro irmãs. Uma casou um tanto tarde, e as outras três ficaram por aqui. Senhoras da velha escola. A srta. Emily foi a última a morrer, e era muito respeitada na vila.

Passou a Poirot a permissão para ver as casas e perguntou:

— Voltará aqui, para me dizer o que resolveu? Compreendo que será preciso arrumar a casa num lado e noutro... Mas, como costumo dizer: o que significa um ou dois banheiros? Tudo é fácil de fazer...

Despedimo-nos. À saída, a srta. Jenkins dizia:

— Sra. Samuel telefonou. Pediu que ligasse para Holland 5391.

Se a memória não me falhava, não era aquele o número anotado pela mulherzinha.

Certifiquei-me de que, assim, ela se vingava por ter sido obrigada a procurar as informações sobre a Littlegreen House.

VII

Almoço no George

JÁ NA RUA, observei a Poirot que Gabler falava demais e ele, com um sorriso, concordou.

— Ele vai ficar decepcionado quando você não voltar amanhã. Pensou que a casa estava vendida a você.

— É... Acho que terá uma grande decepção...

— Acho que poderíamos almoçar por aqui, antes de voltarmos a Londres. A menos que prefira comer no caminho, num restaurante mais conveniente...

— Meu caro Hastings, não planejo sair de Market Basing tão depressa. Ainda não tratamos do assunto que nos trouxe aqui...

Olhei-o cheio de espanto.

— Você quer dizer... Mas, meu caro amigo, a velha já morreu!

— Exatamente.

O tom em que pronunciou esta única palavra fez-me observá-lo com maior espanto ainda. Era óbvio que guardava na manga algum trunfo relacionado com a tola carta recebida pela manhã.

— Se está morta, Poirot, que vale demorar por aqui? — insisti suavemente. — A velha já nada pode dizer-lhe, e seja qual for o motivo de ter-lhe escrito já não importa...

— Com que facilidade e rapidez você diz uma coisa assim! Nenhum assunto perde importância enquanto Hercule Poirot se preocupa com ele!

A experiência devia ter-me ensinado a inutilidade de discutir com Poirot, mas cometi a imprudência de insistir:

— Mas se ela já morreu...

— Exatamente, Hastings, exatamente! Você fica repetindo várias vezes a coisa mais significativa, mas não consegue atinar com a sua importância! Como não compreende a importância do fato? A srta. Arundell *morreu!*

— Mas sua morte, meu caro Poirot, foi absolutamente natural, simples! Não teve nada de estranho nem de inexplicável... O próprio Gabler disse isso...

—Também disse que a Littlegreen House era uma pechincha por 2.850 libras. E você concorda com ele?

— Bem, não... Estava empenhado demais em vender a casa, que talvez precise de arrumações do piso ao teto. Sou capaz de apostar que ele, ou sua cliente, aceitam de boa vontade qualquer proposta bem inferior a isso. Essas casas georgianas com frente para a rua devem ser difíceis de vender.

— *Eh bien!* Então não me venha com essa história de que ele não é capaz de mentir.

Eu estava para protestar mais, mas, no momento em que passamos pelo George, Poirot fez-me calar, encerrando a conversa.

Conduziram-nos ao café, um salão de boas proporções, janelas hermeticamente fechadas e cheiro de comida requentada. Um garçom velho, asmático e lento nos atendeu. Parecíamos ser os únicos para o almoço. Comemos fatias de excelente carneiro, grandes porções de repolho e batatas insípidas, seguidos de frutas em calda. Finalmente, o garçom trouxe-nos duas xícaras de um líquido de aspecto duvidoso, que disse chamar-se café.

Poirot aproveitou a oportunidade para mostrar os papéis que trouxera do corretor e pediu-lhe ajuda.

— Sim, senhor. Sei onde fica a maioria delas. Hemel Down fica a três milhas de distância, na Estrada de Much Benham, e é uma propriedade muito pequena; Naylor's Farm dista apenas uma milha. Há um beco que leva até lá, a partir de King's Head; nunca ouvi falar de Bissett Grange, mas a Littlegreen House fica muito perto, a alguns minutos a pé.

— Parece que já a vi por fora, e creio que é a que mais me convém. Estará bem conservada?

— Oh, sem dúvida! Telhado, encanamento, tudo! É antiquada, evidentemente, e nunca sofreu nenhuma reforma. Os jardins são uma pintura. A srta. Arundell gostava muito deles.

— Ao que me consta, a casa agora pertence a uma tal de srta. Lawson, não é verdade?

— Sim. A srta. Lawson era a dama de companhia da srta. Arundell, que deixou-lhe tudo ao morrer, inclusive a casa.

— Sim, mas não tinha parentes aos quais legar?

— Não é bem assim, senhor. Ela *tinha* sobrinhos e sobrinhas vivos, mas, como a srta. Lawson serviu-a tanto tempo... E depois, como sabe, estas senhoras idosas...

— Em todo caso, creio que só deixou a casa e algum dinheiro?

Tenho notado frequentemente que uma pergunta fica sem resposta quando feita diretamente; todavia, quando se parte pela negativa, tem-se o imediato desmentido e o esclarecimento. E foi o que aconteceu:

— Nada disso! Todo mundo ficou surpreso com a quantidade de dinheiro deixada pela velha senhora. O testamento foi publicado no jornal, com indicação da importância e todos os detalhes. Parece que havia muito tempo não gastava tudo o que ganhava. Deixou cerca de trezentas ou quatrocentas mil libras.

— Espantoso! — exclamou Poirot. — Até parece um conto de fadas, não? A pobre dama de companhia fica fabulosamente rica do dia para a noite... Ainda é moça, essa srta. Lawson? Poderá gozar bem desta fortuna imprevista?

— Não senhor, é *pessoa* de meia-idade.

O modo como pronunciou a palavra *pessoa*, sem dizer senhora nem senhorita, foi um excelente desempenho artístico. Estava claro que a srta. Lawson, ex-dama-de-companhia, não se impusera em Market Basing.

— Deve ter decepcionado muito os sobrinhos e as sobrinhas — murmurou Poirot.

— Sim, creio ter sido uma surpresa muito desagradável para eles. Jamais esperaram isso. Aqui em Market Basing o caso provocou celeuma. Há quem não considere ser justo deixar a estranhos o que se possui, mas há também quem entenda que cada um pode dispor do que tem como quiser. Claro que qualquer das duas correntes tem razão.

— A srta. Arundell vivia aqui há muitos anos, não é?

— Oh, sim! Ela e as irmãs, e, antes delas, o velho general Arundell, seu pai. Não me lembro dele, óbvio, mas consta que tenha sido uma pessoa extraordinária. Esteve na Revolta da Índia.

— Eram, então, várias filhas?

— Três, que eu me lembre, e creio que uma delas era casada. Sim, srta. Matilda, srta. Agnes e srta. Emily. A srta. Matilda morreu primeiro; depois, a srta. Agnes, e, por fim, a srta. Emily.

— Isto foi muito recente?

— No início de maio... ou talvez no fim de abril.

— Ela esteve doente por muito tempo?

— Mais ou menos, mais ou menos. Adoecia e levantava, compreende? Não era muito saudável. Quase morreu de icterícia, um ano antes. Por longo tempo ficou com uma cor amarelada. Sim, andou bem doente nos cinco últimos anos de vida.

— Existem bons médicos por aqui, não?

— Bem, temos o dr. Grainger. Está por aqui há cerca de quarenta anos, e a maioria das pessoas se trata com ele. É um tanto excêntrico e tem suas manias, mas é um bom médico. Com ele trabalha um rapaz novo, o dr. Donaldson, que segue mais a escola moderna e agrada a certas pessoas. Temos também o dr. Harding, mas este pouco faz.

— O dr. Grainger era o médico da srta. Arundell?

— Oh, sim. Livrou-a de várias doenças. É daqueles que obrigam a gente a viver, queiramos ou não.

Poirot balançou a cabeça e asseverou:

— É bom saber alguma coisa de um lugar antes de nos mudarmos. E um bom médico é um dos fatores mais importantes...

— Isso é bem verdade, senhor.

Poirot pediu a conta, à qual adicionou uma gorda gorjeta.

— Obrigado, senhor. Muito obrigado, senhor. Espero que venha para cá.

— Eu também — disse Poirot.

— Ainda não está satisfeito, Poirot? — perguntei quando já estávamos do lado de fora.

— Certamente não, meu amigo — respondeu-me, tomando uma direção inesperada.

— Aonde vamos agora?

— À igreja, meu caro. Pode ser interessante... algumas placas... um velho monumento...

Balancei a cabeça, intrigado.

A inspeção de Poirot pelo interior do templo foi breve. Apesar de tratar-se de um belo espécime daquilo que os guias turísticos chamam de Monumentos Antigos, fora tão minuciosamente restaurado pela fúria vitoriana que pouco havia digno de interesse.

Em seguida, Poirot caminhou com aparente casualidade pelo cemitério, lendo alguns epitáfios, comentando o número de mortes verificado em determinadas épocas e, vez por outra, admirando-se da originalidade de um ou outro nome.

Não foi surpresa para mim, contudo, quando por fim deteve-se diante do que eu sabia ser o seu objetivo: uma imponente lápide com inscrições quase apagadas:

CONSAGRADO
À MEMÓRIA DE
JOHN LAVERTON ARUNDELL
GENERAL DO 24.º SIKHS
QUE ADORMECEU EM CRISTO A 19 DE MAIO
DE 1888
COM A IDADE DE 69 ANOS
"TRAVA A BOA LUTA COM TODA A TUA FORÇA"
E TAMBÉM DE
MATILDA ANN ARUNDELL
FALECIDA EM 10 DE MARÇO DE 1912
"ERGUER-ME-EI E IREI PARA JUNTO DE MEU PAI"
E TAMBÉM DE
AGNES GEORGINA MARY ARUNDELL

FALECIDA EM 20 DE NOVEMBRO DE 1921
"PEDE E RECEBERÁS"

Seguia-se uma nova inscrição, que parecia recém-elaborada:

E TAMBÉM DE
EMILY HARRIET LAVERTON ARUNDELL
FALECIDA EM 1 DE MAIO DE 1936
"A TUA VONTADE SERÁ FEITA"

Poirot observou durante algum tempo, para, em seguida, murmurar suavemente:
— Primeiro de maio... primeiro de maio... E hoje, 28 de junho, recebi a carta. Concorda, não é verdade, Hastings, que isto tem de ter uma explicação?
Constatei que sim.
Ou melhor, vi que Poirot estava determinado a encontrá-la.

VIII

Interior da Littlegreen House

DEIXANDO O CEMITÉRIO, Poirot tomou rapidamente o rumo da Littlegreen House. Entendi que continuaria a desempenhar o papel de comprador em potencial, ao vê-lo pegar nas várias autorizações de visita, colocando à frente a referente àquela. Empurrou o portão e caminhou para a porta principal.

Não podíamos ver nosso amigo *terrier*, mas ouvimos seus latidos lá dentro — nas imediações da cozinha, calculei.

Ouvimos passos cruzando o hall, e a porta foi aberta por uma mulher simpática, entre os 50 e os 60 anos, com ar de criada de outros tempos, algo muito difícil de se encontrar hoje.

Poirot apresentou-lhe a permissão.

— Sim, senhor, o corretor telefonou. Vamos entrar, senhor?

As persianas de madeira, que estavam fechadas quando de nossa primeira visita, tinham agora sido abertas em nossa honra. Notei que reinava em tudo uma limpeza e uma arrumação impecáveis, sinal de que a criada era muito conscienciosa.

— Esta é a sala de visitas, senhor.

Olhei em redor, com um ar de aprovação. Era uma sala agradável de janelas altas dando para a rua, e móveis antigos e sólidos, na maioria de estilo vitoriano, embora também houvesse uma estante *chipendale* e um jogo de atraentes cadeiras *hepplewhite*.

Poirot e eu permanecemos na atitude habitual de quem procura casas. Mantivemo-nos quietos, demonstrando certo constrangimento, e fazendo observações como "muito bonito", "uma sala muito agradável", coisas assim.

A criada nos levou pelo hall ao salão correspondente, do outro lado.

— A sala de jantar.

Não havia dúvida de que era vitoriana: uma pesada mesa de mogno, aparador maciço, da mesma madeira, mas de um tom quase purpúreo e com grandes detalhes de frutas, cadeiras sólidas, forradas de couro. Da parede pendiam retratos de família.

Os latidos do *terrier* repentinamente cresceram de volume, ao mesmo tempo em que o cão entrava pelo hall.

"Quem está nesta casa? Faço-o em pedaços" — parecia ameaçar, quando chegou na porta, farejando ruidosamente.

— Oh, Bob, seu malandro! — exclamou a criada. — Não ligue para ele, senhor. Não faz mal a ninguém. — Com efeito, Bob, descobrindo os intrusos, mudou de atitude. Farejou tudo e apresentou-se amavelmente.

"Prazer em conhecê-los" — parecia dizer. "Desculpem a bagunça, mas tenho de cumprir o meu dever. Tenho de ter cuidado com quem entra, sabem... Mas é uma vida dura, e estou contente por vê-los. Já devem ter cães, suponho."

— É um belo animal — comentei para a mulher. — Precisa de uma tosquia...

— Sim, senhor. Ele geralmente é tosquiado três vezes ao ano.

— Já é velho?

— Oh, não! Não tem mais de seis anos, e às vezes se comporta como um cachorrinho. Tem a mania de apanhar os chinelos da cozinheira para brincar. É muito manso, apesar do barulho que faz. Só cisma mesmo com o carteiro. Ele fica tremendo só de vê-lo.

Bob farejou as calças de Poirot. Depois de investigar tudo, soltou um suspiro prolongado ("hum... não é mau, porém não gosta muito de cães..."), e chegou-se a mim, com a cabeça inclinada para o lado, em expectativa.

— Não sei por que os cães cismam tanto com o carteiro — continuou a empregada.

— Questão de raciocínio — explicou Poirot. — O cão é um animal inteligente, que raciocina e faz suas deduções de acordo com seu ponto de vista. Aprende depressa, por exemplo, que certas pessoas entram, e outras não entram em casa. *Eh bien,* qual é a pessoa que, aparentemente mais insiste em entrar, batendo à porta duas e três vezes ao dia, e nunca consegue? O carteiro. Assim, ele é um indesejável, do ponto de vista do dono da casa. O cão acha que tem de ajudar a expulsá-lo, e, se possível até mordê-lo, para que não volte mais. Uma atitude bem razoável...

Sorriu para Bob.

— E este parece muito inteligente.

— Oh, sim! Parece até humano, muitas vezes.

Abriu outra porta e anunciou:

— A sala de estar.

A sala de estar parecia evocar recordações do passado. No ar pairava uma fragrância leve e complexa, de muitos perfumes misturados, e os cretones de rosas desbotadas puídos. Estampas e aquarelas pendiam das paredes, e abundavam as porcelanas — frágeis pastores e pastoras. Havia almofadas bordadas, fotografias em belas molduras de prata, caixas de costura e latas de chá. O que mais me fascinou, porém, foram duas damas antigas de papel de seda primorosamente recortado, em redomas de vidro, uma na roca, e outra com um gato nos joelhos.

A atmosfera de tempos passados me envolveu. Lembrei-me do lazer e do refinamento, das damas e cavalheiros. Aquela era, de fato, uma sala de estar. Ali deveriam sentar-se as senhoras com seus trabalhos de costura, e, se por acaso um favorecido representante do sexo masculino fumava um cigarro, tinha-se de, após sua saída, sacudir as cortinas, arejar todo o aposento.

Bob desviou minha atenção. Sentava-se meio extasiado perto de uma elegante mesinha com duas gavetas.

Ao perceber que eu o olhava, soltou um ganido breve e melancólico, enquanto seus olhos iam de mim para a mesa.

— O que é que ele quer? — perguntei.

A criada sentia-se lisonjeada com nosso interesse pelo cão, do qual devia gostar muito.

— A bola. Costumava estar sempre guardada naquela gaveta. É por isso que fica ali sentado, pedindo-a.

Virou-se para o cão e, num tom diferente, um tanto esganiçado, disse-lhe:

— Já não está aí, querido. A bola do Bob está na cozinha. Na cozinha, Bobizinho...

Bob desviou o olhar, impaciente, para Poirot.

"Esta mulher é uma tola", parecia dizer. "Você, entretanto, parece inteligente. As bolas devem ser guardadas em lugares determinados. Esta gaveta é um deles, e sempre havia uma aqui. Portanto, também tem de estar agora. Óbvia lógica canina, não é?"

— Já não fica mais lá, amigo — esclareci.

Olhou-me desconfiado e, quando saímos da sala, seguiu-nos devagar, como se não tivesse ficado convencido.

A criada mostrou-nos vários armários, um guarda-roupa e um aparador, "onde a patroa costumava arrumar as flores".

— Trabalhava aqui há muito tempo? Inquiriu Poirot.

— Há vinte e dois anos, senhor.

— Está cuidando da casa sozinha?

— Eu e a cozinheira.

— Ela também está na casa há muito tempo?

— Há quatro anos. A velha cozinheira morreu.

— Se eu resolvesse comprar a casa, a senhora ficaria?

— É muita bondade sua, senhor, mas a minha ideia é aposentar-me. A senhora deixou-me uma boa herança, coitada, e resolvi ir viver com meu irmão. Estou aqui apenas fazendo um favor à srta. Lawson. Apenas até a casa ser vendida.

Poirot assentiu com a cabeça, compreensivo.

De repente, um *"bump, bump, burnp"* cortou o silêncio, crescendo de volume monotonamente. O barulho parecia vir de cima.

— É Bob — esclareceu a criada. — Achou a bola, e fica jogando-a escada abaixo. É sua brincadeira favorita.

Chegamos ao pé da escada ao mesmo tempo em que uma bola de borracha preta, jogada de cima. Apanhei-a e olhei para Bob, que estava no alto da escada, com as patas afastadas e abanando a cauda vagarosamente. Joguei-lhe a bola. Agarrou-a com a boca, mordeu-a com evidente prazer para depois colocá-la entre as patas e suavemente empurrá-la para a frente com o focinho, até fazê-la descer pulando pelos degraus. Finalmente, observou-lhe a descida, abanando o rabo alegremente.

— É capaz de passar horas assim! O dia inteiro até, se deixarem — informou a criada. — Chega, Bob! Estes senhores têm coisas mais importantes a fazer do que brincadeiras com cachorros.

Um cão ajuda muito a estabelecer uma conversa cordial. O ar cerimonioso da velha criada fora quebrado pelo nosso interesse e simpatia pelo cão. Assim, enquanto subimos ao primeiro andar, contou-nos alegremente as travessuras do animal, indícios de grande inteligência. A bola ficara ao pé da escada, e o cão lançou-lhe um último olhar. Ao chegarmos ao alto, Bob observou-nos com profundo desgosto e foi buscá-la com um ar muito digno. Dobrando à direita, vi-o subir novamente com a bola na boca. Seu andar parecia o de um homem extremamente velho, fazendo um esforço hercúleo por pessoas que não correspondiam.

Visitando os quartos de dormir, Poirot enredava a criada com habilidade:

— Quatro senhoritas Arundell viveram aqui, não é?

— Inicialmente, sim. Mas isto foi antes de eu chegar aqui. Quando comecei a trabalhar aqui, havia apenas a srta. Agnes e a srta. Emily. A primeira morreu logo em seguida; era a mais nova da família. Engraçado que se tenha ido antes da irmã.

— Talvez não fosse tão forte quanto ela...

— Ao contrário, senhor. A minha srta. Arundell, srta. Emily, sempre teve uma saúde delicada. Por toda a vida teve de cercar-se de médicos. A srta. Agnes, que era forte e robusta, foi-se primeiro; a srta. Emily, que tinha saúde delicada desde pequena, sobreviveu a toda a família. As coisas são muito estranhas...

— Espantoso como esses casos se repetem!

Poirot mergulhou (tenho certeza) em toda uma história mentirosa de um tio inválido, e sobre a qual me abstenho de falar aqui. Basta dizer, que surtiu o efeito desejado: discussões sobre mortes funcionam mais para soltar a língua dos seres humanos do que qualquer outra coisa. Assim, conseguiu fazer perguntas que vinte minutos antes teriam sido consideradas suspeitas e hostis.

— A srta. Arundell sofreu por muito tempo?

— Não, senhor. Andou adoentada por muito tempo, é certo. Há dois invernos teve icterícia. Ficou com a pele e os olhos amarelos...

— Oh, sim! — E lá começou a história de um primo de Poirot que, se fosse verdadeira, personificaria a própria febre amarela.

— Exatamente, é como diz! Coitadinha da minha patroa, esteve muito mal naquela época. Não conseguia guardar nada no estômago, e o dr. Grainger já não dava nada mais por ela. Tinha, porém, um modo especial de tratá-la, sempre a desprezando. Parecia cão e gato! "Resolveu ficar aí deitada e encomendar a lápide para a sepultura?", perguntava-lhe ele. "Ainda tenho forças para lutar, doutor", respondia-lhe a minha patroa. A enfermeira que cuidava dela achava tanto que ela morreria logo, que chegou a dizer ao dr. Grainger para não insistir muito para que se alimentasse. Mas o médico nem quis saber: "Bobagem! Ela tem de se alimentar, nem que seja à força! Caldo de carne *valentine* às tantas horas, essência de Brand às tantas..." Por fim, disse algo que jamais esquecerei: "Você é nova, minha filha", disse à enfermeira. "Não sabe avaliar a capacidade de resistência das pessoas idosas. Os moços é que costumam morrer, por não se apegarem à vida. Aponte-me alguém de mais de setenta anos que não seja um lutador, que não tenha vontade de viver!" E ele tem razão, meu senhor. Sempre dizemos que há velhinhos maravilhosos, cheios de vitalidade e lucidez. Por quê? Porque eles são como disse o dr. Grainger. É por isso que vivem tanto tempo.

— Isto é muito, muito profundo! — exclamou Poirot. — E a srta. Arundell era assim? Tinha vitalidade, apegava-se à vida?

— Oh, sim! Fraca de saúde, mas tinha uma inteligência agudíssima! Como eu ia dizendo, venceu a doença e causou a maior surpresa à enfermeira. Ela era toda empoada, de gola e punhos engomados, cheia de trejeitos à mesa. Exigia chá o tempo todo.

— Foi um belo restabelecimento.

— Sem dúvida. Claro que inicialmente ela teve de cuidar muito da dieta. Tudo cozido, sem gordura e sem ovos. Foi muito aborrecido para ela.

— Mas o principal é que ficou boa.

— Isso é verdade. Vez por outra teve suas recaídas, uns ataques de bílis, como eu chamava. É que se descuidava da comida. Entretanto, só o último ataque foi sério.

— Foi como sua doença dois anos atrás?

— Exatamente, senhor. A mesma icterícia, aquela horrível cor amarela, vômitos, e tudo o mais. A culpa, em parte, foi dela, por comer o que não devia. Na noite em que adoeceu, tinha comido caril, e, o senhor sabe, caril é forte e oleoso.

— Adoeceu de repente, então?

— Foi o que pareceu, mas o dr. Grainger disse que a doença ficara encubada. O que a precipitou foi um resfriado que apanhou... o tempo andava muito incerto... e alimentos fortes.

— É óbvio que a dama de companhia... srta. Lawson, não era?... Poderia tê-la dissuadido de comer tais coisas...

— Oh, a srta. Lawson não poderia fazer nada! A srta. Arundell não aceitava ordens de ninguém.

— A srta. Lawson estava com ela na doença anterior?

— Não. Estava aqui há apenas um ano.

— Quer dizer que a srta. Arundell teve outras damas de companhia, antes dela?

— Uma penca, senhor!

— Pelo visto, elas não aqueciam tanto o lugar como as criadas... — observou, sorridente, Poirot.

A mulher enrubesceu, contente.

— Senhor, compreenda, era diferente... A srta. Arundell não saía muito e, com uma coisa e outra... — fez uma pausa.

Poirot observou-a um pouco e disse:

— Entendo um pouco a mentalidade das senhoras idosas. Querem novidades, e para isso vão ao fundo das pessoas.

— Bem, o senhor tem toda a razão. Sempre que chegava uma nova dama de companhia, a srta. Arundell mostrava-se curiosíssima por tudo o que lhe dizia respeito: a sua vida, a sua infância, onde estivera, o que pensava disto e daquilo... e depois, quando já sabia de tudo, ficava... bem, ficava enjoada. Acho que é esta a palavra adequada.

— Exatamente. E, cá para nós, essas senhoras que se empregam como damas de companhia não são muito interessantes, de um modo geral...

— É verdade. Na maioria, são pessoas sem vontade, e às vezes até tolas. A srta. Arundell logo perdia a paciência e... mudava.

— No entanto, deve ter simpatizado muito com a srta. Lawson.

— Não, não creio, senhor.

— A srta. Lawson não tinha nada de especial?

— Nunca pude encontrar nada. Parecia-me uma pessoa qualquer.

— Mas gostava dela, não?

A mulher encolheu os ombros.

— Não havia nada para gostar nem para desgostar. Era muito confusa, uma solteirona com a cabeça cheia desse negócio de espíritos...

— *Espíritos...*? — repetiu Poirot, interessado.

— Sim, senhor, espíritos. Sentava-se no escuro a uma mesa à espera de que os mortos viessem e lhe falassem. Acho isto muito antirreligioso. É como se não soubéssemos que as almas têm o seu devido lugar e que é pouco provável que saiam de lá.

— Então a srta. Lawson era espírita! E a srta. Arundell acreditava nisso?

— Bem que a srta. Lawson tentou fazê-la acreditar... — respondeu a mulher, maliciosamente.

— Mas não conseguiu? — Insistiu Poirot.

— A patroa tinha muito bom senso — replicou ela. — Compreenda, não digo que isto não a *distraía*. "Gostaria de me convencer", dizia ela. Mas costumava olhar para a srta. Lawson como se dissesse: "Minha pobre Minnie, como você é boba para se envolver com isso!"

— Compreendo. Não acreditava, mas era uma diversão para ela.

— Isto mesmo, senhor. Às vezes eu me perguntava se ela não estaria rindo-se por dentro ao empurrar a mesa, e coisas assim, e todos os outros tão sérios quanto a morte...

— Os outros?

— A srta. Lawson e as duas senhoritas Tripp.

— Então a srta. Lawson era muito convicta?

— Pode apostar, senhor.

— E a srta. Arundell era muito afeiçoada à srta. Lawson, claro.

Era a segunda vez que Poirot colocava a pergunta, obtendo, porém, a mesma resposta:

— Nem por isto, senhor...

— Mas, se deixou-lhe tudo... — insistiu o meu amigo. — Deixou, não é mesmo?

A modificação foi imediata. O ser humano desapareceu, para trazer de volta a criada. A mulher empertigou-se e disse num tom de reprovação:

— Não é da minha conta o modo pelo qual a senhora dispôs do dinheiro, senhor.

Pensei que Poirot pusera tudo a perder. Tendo conquistado a simpatia da mulher, agora ele jogava por terra. Era, entretanto, suficientemente esperto para se recuperar. Depois de uma observação comum sobre o tamanho e o número dos quartos, encaminhou-se para a escada.

Segui-o, mas tropecei, no primeiro degrau, e cairia se não me agarrasse com força ao corrimão. Pisara, inadvertidamente, na bola de Bob.

A mulher apresentou logo suas desculpas.

— Sinto muito, senhor. A culpa é de Bob, que sempre deixa a bola aqui. Como o tapete é escuro, não se pode vê-la. Qualquer dia desses causará a morte de alguém. A minha patroa teve uma grande queda assim. Poderia tê-la facilmente matado.

Poirot subitamente estacou:

— Sofreu um acidente?

— Sim, senhor. Bob, como sempre, deixou a bola aqui. A senhora saiu do quarto, tropeçou e rolou pelas escadas. Quase morreu.
— Machucou-se muito?
— Não o que seria de se esperar. Teve muita sorte, segundo o dr. Grainger. Sofreu um corte na cabeça, ficou com manchas escuras nas costas, e, é claro, uns arranhões e o terrível susto. Ficou quase uma semana de cama, mas não foi nada além do susto.
— Foi há muito tempo?
— Cerca de uma semana antes de morrer.
Poirot abaixou-se, apanhando um objeto que deixara cair.
— Desculpe... a minha caneta... Ah, está aqui!
Levantando-se disse a Bob que era muito descuidado.
— Coitadinho, não pode saber mais do que sabe, senhor — replicou a mulher, indulgente. — Às vezes chega a parecer gente, mas não passa de um cachorrinho. A senhora não dormia bem. Levantava-se à noite e andava pela casa.
— Isso acontecia sempre?
— Mais ou menos, mas não permitia que a srta. Lawson nem ninguém se levantasse.
Poirot voltara à sala de estar.
— Esta casa é muito bonita — elogiou. — Hastings, acha que minha estante caberia aqui?
Intrigado, respondi-lhe que não tinha muita certeza.
— Sim. As aparências enganam muito. Por favor, tome minha fita métrica e meça a parede, enquanto anoto as medidas.
Obedientemente peguei a fita métrica e tirei várias medidas, seguindo-lhe as instruções. Ele as anotava nas costas de um envelope.
Eu começava a imaginar a razão de Poirot ter utilizado aquele expediente tão estranho para meter a mão no bolso, quando ele me passou o envelope, dizendo:
— É isto, não é? Melhor você verificar.
Não havia números no envelope. Ao contrário, trazia: "Quando voltarmos lá em cima, finja que recorda um encontro e peça

para telefonar. Deixe a mulher acompanhá-lo e demore por lá o quanto puder."

— Está tudo certo — disse-lhe eu, guardando o envelope. — Acho que as duas estantes caberão bem.

— É bom ter certeza — comentou Poirot e, virando-se para a criada, pediu: — Se não fosse incômodo, gostaria de passar novamente pelo quarto principal, para verificar as dimensões das paredes.

— Certamente, senhor. Não há problema.

Subimos a escada novamente. Poirot mediu uma parede, comentou a possível posição da escrivaninha, cama e guarda-roupa; então olhei o relógio, fiz um gesto exagerado e disse:

— Meu Deus, sabe que já são três horas? O que vai pensar o Anderson? Tenho de telefonar-lhe! — virei-me para a criada e concluí: — Posso usar o telefone, se houver?

— Certamente, senhor. Fica na saleta, perto do hall. Eu lhe mostro.

A criada desceu comigo, mostrou-me o telefone, e pedi para que me ajudasse a encontrar um número na lista. Por fim, liguei para um tal de Anderson em Harchester, uma cidadezinha próxima. Felizmente ele não estava em casa, e deixei recado de que lhe telefonaria mais tarde novamente.

Quando voltei, Poirot descera a escada e estava no hall. Seus olhos tinham um brilho esverdeado, denotando impaciência.

— A senhora deve ter levado um susto terrível com a queda! — observou. — Pareceu preocupada com o cão e a bola, após o acidente?

— É engraçado o senhor estar dizendo isto. Ela ficou muito preocupada e, antes de morrer, delirando, referia-se muito a Bob com a bola e uma pintura de uma jarda.

— Uma pintura de uma jarda? — repetiu Poirot, pensativo.

— Claro que não tem sentido, mas ela estava delirando...

— Um momento, preciso ir à sala de estar outra vez.

Poirot passeou pela sala, examinando a decoração. Uma jarra grande chamou-lhe especialmente a atenção. Não se tratava de louça cara. Tinha no bojo a pintura de um buldogue à frente do portão, com uma expressão magoada. Abaixo dele havia a inscrição: *Toda a noite fora e sem chave.*

O detetive, cujo gosto para mim sempre foi extremamente burguês, observava extasiado:

— Toda a noite fora e sem chave... — murmurou. — Muito engraçado! O nosso Bob também faz destas travessuras? Costuma ficar na rua toda a noite?

Uma vez por outra, senhor. É um bom cachorro.

— Acredito, mas até o melhor dos cães...

— Sim, é verdade, senhor. De vez em quando dava suas voltas, e só aparecia pelas quatro da madrugada. Então, sentava-se na porta e latia até que abrissem.

— Quem costumava abrir-lhe a porta? A srta. Lawson?

— Qualquer pessoa que ouvisse. Da última vez, entretanto, foi a srta. Lawson. Aconteceu na mesma noite do acidente. Chegou por volta das cinco, a srta. Lawson, com medo de que o barulho acordasse a srta. Arundell, correu para abrir. Ela não contou nada à patroa, para não preocupá-la.

— Compreendo.

— Ela disse que ele voltaria na certa, mas ela poderia ficar preocupada. Então nada lhe dissemos.

— Bob gostava da srta. Lawson?

— Ele a desdenhava, se compreende o que quero dizer. Às vezes os cachorros são assim... Ela era boa para ele, chamava-o de "cãozinho lindo" e "cachorrinho bonito", mas ele a olhava atravessado e não dava importância ao que ela dizia.

— Compreendo — repetiu Poirot.

De repente, teve um gesto que me assustou. Tirou a carta do bolso. A carta que recebera pela manhã.

— Ellen — disse ele —, sabe alguma coisa a respeito disto?

Uma notável mudança ocorrera no semblante de Ellen. Ficou boquiaberta e olhou perplexa para Poirot, numa expressão quase cômica:

— Eu jamais... — gaguejou.

A frase ficou no ar, incoerente, mas não deixou dúvidas quanto ao que Ellen queria dizer.

— O senhor era o destinatário? — perguntou logo depois, esforçando-se para voltar à calma.

— Sim. Chamo-me Hercule Poirot.

Ellen, naturalmente, não prestara atenção ao nome registrado na permissão para visitar a casa.

— Então era isto... Hercules Poirot. Ellen acrescentara um *S* ao nome e acentuara o *T* do sobrenome.

— Meu Deus! — exclamou. — A cozinheira vai ficar surpresa!

Poirot redarguiu rapidamente:

— Não seria melhor irmos à cozinha e discutirmos o assunto com ela?

— Se os senhores não se importam...

Ellen hesitava, como enfrentando um estranho problema de etiqueta. Poirot, entretanto, colocou-a à vontade, e lá fomos para a cozinha. Ellen expôs a situação a uma mulher de rosto grande e simpático, que naquele instante tirava a cafeteira do fogão.

— Parece inacreditável, Annie, mas este é o senhor a quem aquela carta era dirigida! A carta que encontrei na pasta, você se lembra?

— Lembrem-se de que estou no escuro — confessou Poirot. —Talvez possam me dizer como a carta foi enviada tão tarde...

— Para dizer a verdade, senhor, não sabíamos o que fazer com ela.

— Não sabíamos mesmo — confirmou a cozinheira.

— O senhor compreende, quando a srta. Lawson mexeu nas coisas da srta. Arundell, após a sua morte, deu-nos vários objetos e jogou outros fora. Entre eles havia um pequeno *papier-maché*, ou porta-papéis. Era muito bonito, com um lírio do vale na capa. A patroa o usava sempre que escrevia na cama. A srta. Lawson, como não o queria, deu-o para mim. Guardei-o numa gaveta e só ontem voltei a mexer nele. Meti a mão numa das orelhas e encontrei uma carta com a caligrafia da patroa.

Fez uma pausa e prosseguiu:

— Como disse, não sabia o que fazer. A caligrafia era da patroa... quanto a isso não tive qualquer dúvida... e calculei que escrevera a carta e a guardara ali para selar e pôr mais tarde no correio, porém esquecera, como às vezes lhe acontecia, coitadinha. Houve uma vez em que aconteceu o mesmo com um extrato da conta bancária: depois de muito procurado, apareceu na sua secretária.

— Ela era desleixada?

— Não, pelo contrário! Andava sempre arrumando tudo... E o mal era este. Se deixasse as coisas onde estavam, seria fácil encontrá-las. Mas guardava e depois esquecia onde as pusera.

— Como, por exemplo, acontecia com a bola de Bob? — sugeriu Poirot, com um sorriso.

O sagaz *terrier* acabava de entrar pela porta dos fundos, e nos saudava como amigos.

— Exatamente. Assim que Bob acabava de brincar, ela tratava de guardar a bola. Mas isto não tinha muita significação, pois a bola tinha o seu lugar na gaveta que lhes mostrei.

— Compreendo. Mas eu a interrompi. Peço-lhe que prossiga. Tinha descoberto a carta no porta-papéis?...

— Sim, senhor. Encontrei-a e perguntei a Annie o que devia fazer. Não queria queimá-la e, evidentemente, não ousaria abri-la. Achamos que o assunto não era da conta da srta. Lawson, e resolvemos pô-la no correio.

Poirot voltou-se para mim, e exclamou:

— *Voilà!*

Não resisti à tentação de responder maliciosamente:

— Imagine como certas coisas têm uma explicação tão simples!

O detetive ficou tão desapontado, que quase me arrependi da gozação.

— Como diz o meu amigo — murmurou, voltando-se para Ellen —, a explicação de certas coisas às vezes é muito simples. Entretanto, deve compreender que estranhei receber uma carta datada de mais de dois meses.

— Faço ideia, senhor. Não pensamos nisso...

— Além disso... encontro-me diante de um pequeno dilema. Nesta carta, a srta. Arundell pretendia encarregar-me de uma missão particular. — Poirot pigarreou. — Agora a srta. Arundell está morta, estou pensando como agir. Será que ela, nestas circunstâncias, quereria que eu levasse a cabo a missão? É difícil... muito difícil.

As mulheres olhavam-no respeitosamente.

— Creio que terei de conversar com o advogado da srta. Arundell. Tinha advogado, não é?

— Oh, sim o sr. Purvis, de Harchester.

— Sabe se estava a par de todos os seus negócios?

— Creio que sim. Pelo menos sempre soube que era seu procurador, e a patroa chamou-o, depois da queda.

— Da queda da escada?

— Sim, senhor.

— Poderão dizer-me ao certo quando foi isto?

— Na terça-feira seguinte à Páscoa, lembro-me bem. Não saí no domingo, porque havia muitas visitas. Folguei na quarta-feira.

Poirot consultou sua agenda.

— Ora, vejamos... Este ano a Páscoa caiu no dia 13 de abril, o que quer dizer que a srta. Arundell sofreu o acidente no dia 14. Escreveu-me três dias depois, mas infelizmente só agora recebi a carta. No entanto, talvez não seja tarde demais... — fez uma pausa, e acrescentou: — Creio que a tarefa que tinha para mim relacionava-se com uma das... visitas que mencionou.

Esta observação para mim nada mais significou do que um tiro no escuro. Mas acertou na mosca. As mulheres se entreolharam, e a cozinheira levantou a sobrancelha.

— Devia ser o sr. Charles.

— Se me dissessem quem esteve aqui... — insinuou Poirot.

— O dr. Tanios com sua mulher, a sra. Bella, a srta. Theresa e o sr. Charles.

— Eram todos sobrinhos da srta. Arundell?

— Sim, senhor. Ou melhor, o dr. Tanios apenas pelo casamento. É estrangeiro, grego ou coisa parecida. Casou-se com a sra. Bella. O sr. Charles e a srta. Theresa são irmãos.

— Compreendo. Uma reunião de família... E quando foram embora?

— Na manhã de quarta-feira. O dr. Tanios e a sra. Bella voltaram, porém, no fim de semana seguinte, por estarem preocupados com a srta. Arundell.

— E o sr. Charles e a srta. Theresa?

—Vieram no fim da outra semana, ou seja, na anterior à sua morte.

Notei que a curiosidade de Poirot era insaciável. Não me sentia, porém, na necessidade de fazer tantas perguntas: como o mistério estava esclarecido, quanto mais depressa partisse, com dignidade, melhor.

Meu pensamento pareceu transmitir-se a Poirot, que declarou:

— *Eh bien,* considero muito úteis as informações que me deram. Não deixarei de consultar o sr. Purvis. Muito obrigado pela ajuda.

Abaixou-se e afagou Bob.

— *Brave chien, va!* Gostava um bocado da sua dona, não é?

Bob apreciou as festas, e, já pensando numa nova brincadeira, correu e apanhou um pedaço de carvão. Uma das mulheres o repreendeu e tirou-lhe o carvão. Ele me lançou um olhar desconsolado.

"Estas mulheres" — parecia dizer — "são generosas com a comida, mas não têm o menor espírito esportivo!"

IX

Reconstituição do incidente da bola de Bob

— BEM, POIROT — observei, mal transpusemos o portão da Littlegreen House —, espero que esteja satisfeito.

— Sim, meu caro. Estou satisfeito.

— Agradeço aos céus por isto! Todo o mistério explicado! Já não existe O Caso da Dama de Companhia e da Senhora Rica. Até a demora da carta e o famoso acidente da bola de Bob se explicaram. Enfim, tudo se arruma satisfatoriamente.

— Eu não empregaria esta última palavra, Hastings — replicou Poirot, com uma tossezinha seca.

— Mas você a disse há um minuto!

— Não, não. Não disse que o assunto se arrumava *satisfatoriamente*. Disse apenas que minha curiosidade estava satisfeita. Sei a verdade sobre o Acidente da Bola.

— Não poderia ser mais simples!

— Não tanto quanto você imagina... — balançou a cabeça várias vezes, e prosseguiu: — Há uma coisinha que você não sabe...

— O que é, afinal? — perguntei, cético.

— *Sei que há um prego no rodapé* do *patamar* do *alto da escada*. Observei-o fixamente. Sua expressão era grave.

— E daí? — perguntei. — Por que não haveria de estar lá?

— A pergunta, Hastings, é por que estava lá.

— Como é que você quer que eu saiba? Por algum motivo de ordem doméstica, creio eu. Tem alguma importância?

— Claro que sim! Por outro lado, não me ocorre nenhuma razão de ordem doméstica para se pregar um prego no rodapé de qualquer patamar, sobretudo naquele lugar especial. O pior é que tiveram o cuidado de envernizá-lo bem, para que não fosse notado.

— O que está querendo dizer, Poirot? Sabe a verdadeira razão?

— *Mon cher ami*, estou pura e simplesmente reconstituindo o acidente da bola de Bob! Quer saber como foi?

— Prossiga, por favor.

— *Eh bien,* então lá vai. Alguém deve ter notado que Bob tinha o costume de deixar a bola no alto da escada... um hábito perigoso, capaz de provocar um desastre...

Poirot fez uma pausa e prosseguiu, num tom diferente:

— Se quisesse matar alguém, Hastings, o que faria?

— Eu... bem... não sei! Acho que inventaria um álibi, ou qualquer coisa parecida...

— O que seria não apenas difícil como perigoso. Mas você não é um frio assassino. Não lhe ocorre que a maneira mais fácil de se tirar do caminho alguém que lhe vivesse atrapalhando, seria aproveitar-se de um *acidente?* Acidentes são coisas que acontecem com frequência e, às vezes, Hastings, pode-se *ajudá-los a acontecer!*

Fez uma pausa prolongada, antes de prosseguir:

— Creio que o fato fortuito de encontrar a bola de Bob no alto da escada deu a ideia ao assassino. A srta. Arundell tinha o costume de sair do quarto durante a noite e andar pela casa. Como, também, sua vista não era boa, seria possível que tropeçasse em qualquer coisa à sua frente, e rolasse escada abaixo. Um assassino perigoso, porém, nunca deixa nada ao acaso. Um *fio* esticado daria resultado mais garantido. Jogá-la-ia de cabeça para baixo. Depois, quando todos fossem ver o que havia acontecido... lá estaria, para visão geral, a causa do acidente: a bola de Bob!

— Que horror! — exclamei.

— Sim, foi horrível — concordou Poirot, gravemente. — E também um fracasso. A srta. Arundell tinha todas as possibilidades de quebrar o pescoço, mas escapou ilesa. Imagine a decepção do nosso amigo desconhecido... Além do mais, a srta. Arundell era uma velha inteligente e, embora todos lhe dissessem que escorregara na bola... e a bola lá estivesse para comprovar, pressentiu que o acidente fora fabricado. Quanto mais o recordava, mais se convencia de que não tropeçara na bola. E até lembrou-se de algo mais: *lembrou-se de ter ouvido Bob latir para que lhe abrissem a porta, às cinco horas da manhã seguinte.* Neste raciocínio acredito que tenha introduzido algumas hipóteses e deduções, mas não devo estar enganado. *A própria srta. Arundell guardara a bola, na noite anterior,* na respectiva gaveta. Depois disso, Bob *saiu e só voltou de manhã.* Portanto, *não foi ele que a deixou no alto da escada!*

Objetei que tudo não passava de hipóteses.

— Nem tudo, meu amigo. A srta. Arundell, no seu delírio, disse palavras muito reveladoras. Referiu-se à bola de Bob e a "uma pintura de uma jarda". Você não percebe?

— Perceber o quê?

— É curioso. Conheço a sua língua o suficiente para saber que isto não faz sentido...

Fez então uma pausa, para explicar:

— Compreendi então que Ellen interpretara mal o que ouvira. Então entendi que a srta. Arundell não falava em *jarda,* mas em *jarra.* Ora, eu notara que, na sala de estar, existia exatamente uma jarra de porcelana com a pintura de um cão. Quando me falaram do delírio, decidi observar a jarra mais atentamente. Verifiquei que o *cão da pintura ficara na rua toda a noite.* Compreende agora o que a moribunda queria dizer, no seu delírio? Bob comportara-se como o cachorro da jarra: também ficara fora a noite toda. *Portanto, não fora ele quem deixara a bola na escada!*

—Você é diabólico, Poirot! — exclamei, com admiração. — Como é que essas coisas podem lhe ocorrer?

— Elas jamais me *ocorrem.* Estão sempre lá, evidentes, para que todos as vejam. *Eh bien,* compreende agora a situação? A srta. Arundell, retida na cama pelo acidente, desconfiou. Seria uma desconfiança fantástica e absurda, talvez, mas viável. "Estou cada vez mais em dúvida a respeito da bola do cão." Por isso, resolveu me escrever. Por azar, entretanto, a carta só me chegou dois meses mais tarde. Agora, diga-me se ela não se coaduna perfeitamente com os fatos.

— Sim — admiti.

— Há um outro ponto de relevo: o grande empenho da srta. Lawson em evitar que a srta. Arundell soubesse do *passeio* de Bob.
— Acha que ela...
— Acho que isto deve ser cuidadosamente investigado.
Refleti por algum tempo, e finalmente suspirei:
— Bem, tudo é muito interessante... como exercício mental, e dou a mão à palmatória. A reconstituição foi genial. Pena que a velha tenha morrido...
— Sim, é pena. Escreveu-me porque alguém tentara matá-la (era isso, afinal, o que queria dizer), e pouco depois morreu.
— E você fica um bocado decepcionado por ter ela tido morte natural, não é? Confesse, vamos!
Poirot encolheu os ombros.
— Ou estará pensando, Poirot, que a envenenaram? — insinuei, maliciosamente.
Poirot balançou a cabeça, desanimado:
— Realmente, parece que a srta. Arundell faleceu de causas naturais...
— E, assim, regressamos a Londres com o rabo entre as pernas...
— *Pardon, mon ami... Não* regressaremos a Londres agora!
— O quê? — perguntei, quase gritando.
— Se mostrar um coelho a um cachorro, ele vira-lhe as costas? Não, meu amigo, vai direto à toca.
— Não entendi.
— O cão caça coelhos: Hercule Poirot, assassinos. Temos um assassino aqui... um assassino que fracassou, talvez, mas ainda um assassino. E eu, meu amigo, vou atrás dele... ou dela, pois, neste caso, tanto pode ser homem como mulher.
— Aonde vai então, Poirot? — perguntei, ao vê-la transpor um portão.
— Procurar o assassino, meu amigo. Aqui é a casa do dr. Grainger, que tratou da srta. Arundell durante a sua doença.
O dr. Grainger era um homem dos seus sessenta e tantos anos, de rosto magro e ossudo, queixo agressivo, sobrancelhas acentuadas e olhos penetrantes, cinzentos. Olhou-nos de alto a baixo.
— Bem, em que posso servi-los?

Poirot falou-lhe no mesmo tom:

— Peço-lhe desculpas, dr. Grainger, pela intrusão. Devo confessar desde logo que não vim consultar-me profissionalmente.

O médico respondeu secamente:

— Agrada-me sabê-lo. Parece bem saudável!

— Devo explicar-lhe a razão de minha visita — prosseguiu Poirot. — Na verdade, estou escrevendo um livro sobre a vida do General Arundell, que, segundo creio, viveu alguns anos em Market Basing, antes de morrer.

O médico pareceu surpreendido:

— Sim, na verdade ele viveu aqui até morrer. Vivia na Littlegreen House, na estrada, logo ao lado do banco. Já estiveram por lá, não? — Poirot assentiu. — Mas nesta época eu ainda não morava aqui. Só vim para cá em 1919.

— No entanto deve ter conhecido sua filha, a srta. Arundell?

— Conheci-a bem.

— O senhor compreende. Para mim, foi muito ruim descobrir que já morreu.

— No fim de abril.

— Foi o que descobri. Esperava que ela pudesse dar-me vários detalhes pessoais da vida do pai.

— Compreendo. Mas não sei em que eu poderia lhe ser útil.

— O General Arundell — perguntou o detetive — não tem nenhum filho ou filha vivos?

— Não. Todos já morreram.

— Quantos eram?

— Cinco. Quatro filhas e um filho.

— E a geração seguinte?

— Charles Arundell e sua irmã Theresa. Pode procurá-los, mas duvido que o ajudem. Esta geração pouco se interessa pelos avós. Há também a sra. Tanios, mas igualmente não creio que lhe possa ser útil.

— Devem possuir documentos de família...

— Talvez, mas não creio. Consta que, após a morte de Emily, queimaram muitos papéis.

Poirot soltou um gemido de desespero. Grainger observou-o com a maior atenção.

— Mas por que todo esse interesse pelo velho Arundell? Nunca soube que tivesse importância sob qualquer aspecto...

— Caro doutor — os olhos de Poirot rebrilharam com uma fanática excitação —, não se diz que a História pouco sabe dos seus maiores homens? Recentemente vieram a lume certos documentos que lançaram uma versão inteiramente nova sobre a Revolta da Índia. Uma história secreta, na qual John Arundell teve destacado papel. O assunto é verdadeiramente fascinante! E deixe-me dizer-lhe, meu caro senhor, tem interesse especial nos dias de hoje. A Índia e a política inglesa para com aquele país constituem hoje um dos mais palpitantes assuntos.

— Hummm — resmungou o médico. — Ouvi dizer que o velho general costumava gabar-se muito de sua atuação na Revolta. Chegava a ser considerado enjoado.

— Quem lhe disse isto?

— Uma tal de srta. Peabody. Por falar nisso, devem procurá-la. É a mais antiga habitante daqui... conheceu intimamente os Arundell. E sua principal diversão é a fofoca. Vale a pena vê-la, só pelo que ela é!

— Obrigado, é uma ideia excelente. Talvez não se importe de fornecer-me o endereço do jovem sr. Arundell, o neto do falecido general?

— Charles? Sim, sim. Mas aviso que é um rapaz irreverente, para o qual nada significa a história da família.

— É tão jovem assim?

— É o que seria um jovem para um velho fóssil como eu — respondeu o médico, sorrindo. — Está começando os trinta. É o tipo do sujeito que parece ter nascido apenas para trazer problemas e responsabilidades para a família. Tem charme e personalidade e nada mais. Viajou pelo mundo inteiro. mas não deu certo em parte alguma.

— Certamente a tia dele o apreciava, não? — aventurou Poirot. — Isto costuma acontecer.

— Humm... Não sei. Emily Arundell nada tinha de tola. Que eu saiba, o garotão jamais conseguiu arrancar um centavo dela. Era durona. Eu gostava dela e a respeitava. Era um velho soldado, dos pés à cabeça.

— Morreu de repente?

— De certa maneira. Ela andava fraca de saúde, mas conseguia se aguentar.

— Fala-se... desculpe-me por repetir boatos... que ela se aborrecera com a família...

— Não se *aborreceu,* exatamente — explicou vagarosamente o dr. Grainger. — Que eu saiba, não houve discussões.

— Desculpe-me. Talvez esteja sendo indiscreto...

— Não, não está. Afinal, o caso é de domínio público.

— Ela, segundo soube, deixou todo o dinheiro para uma pessoa que não era da família, não?

— Sim, deixou a herança para uma dama de companhia que era verdadeira boba alegre. Foi uma decisão muito estranha, que não consigo compreender. Não parece dela...

— Ah, muito bem — comentou Poirot, pensativo. — É fácil compreender isto... Uma senhora idosa frágil e doente... muito dependente da pessoa que cuida dela... uma mulher inteligente, com certa personalidade, poderia ter grande ascendência sobre ela.

A palavra *ascendência* funcionou como uma capa vermelha diante de um touro. O médico comentou com desdém:

— Ascendência? Ascendência? Nem pense nisso! Emily Arundell tratava Minnie Lawson pior do que um cão. Típico da sua geração. Além disso, as mulheres que ganham a vida como damas de companhia são geralmente umas tolas. Se tivessem alguma coisa na cabeça, fariam qualquer outra coisa. Emily Arundell não tolerava gente boba. E geralmente só as aguentava por um ano. Que ascendência? Nada disto!

Poirot deixou logo aquele terreno perigoso:

— Talvez essa... Srta. Lawson tenha cartas e documentos da família?

— É possível — concordou o médico. — Há muita coisa empilhada em casa de gente velha. Não creio que a srta. Lawson já tenha examinado tudo.

Poirot levantou-se.

— Muito obrigado, dr. Grainger. O senhor foi de extrema amabilidade.

— Não há o que agradecer. Lamento não poder ajudar. A srta. Peabody é a sua melhor fonte. Mora em Morton Manor. Uma milha daqui.

Poirot farejou um ramo de rosas sobre a mesa do médico.

— Exalam um delicioso perfume...

— Acho que sim, embora não perceba. Perdi o olfato há quatro anos, devido a uma gripe. Boa coisa para um médico, não é? Casa de ferreiro, espeto de pau. Uma droga! Nunca mais pude apreciar um cigarrinho...

— Lamentável. Mas poderia dar-me o endereço do jovem Arundell?

—Vou pedi-lo. — Caminhou até o hall e chamou: — Donaldson!

Um homem jovial surgiu de uma porta da parte de trás da casa. Tinha estatura mediana, aspecto apagado e gestos precisos. Fazia tremendo contraste com o dr. Grainger.

Ao saber o que queriam dele, seus olhos azuis, muito claros e levemente salientes, mediram-nos de alto a baixo.

— Não sei ao certo onde poderão encontrá-lo — acabou por dizer secamente. — Posso, entretanto, dar-lhes o endereço de sua irmã, Theresa Arundell, que é minha noiva.

Poirot agradeceu e o sócio do dr. Grainger escreveu-lhe o endereço. Quando saímos, notei que o dr. Donaldson nos observava, preocupado.

X

Visita à srta. Peabody

— TEM REALMENTE tamanha necessidade de inventar tantas mentiras complicadas, Poirot? — perguntei, na rua, ao meu amigo.

Poirot deu de ombros.

— Se a gente tem de contar uma mentira... e noto que, por falar nisto, você tem uma natureza muito avessa a elas, enquanto para mim não representam problemas...

— O que também notei...

— Como eu dizia: *se* a gente tem de dizer uma mentira, deve ser bem elaborada, romântica, convincente!

— Acha que aquela foi convincente? Acha que o dr. Donaldson estava convencido?

— Aquele homem é cético por sua própria natureza — admitiu Poirot, pensativo.

— Pareceu-me definitivamente desconfiado.

— Não vejo razão. Imbecis estão escrevendo sobre a vida de imbecis todos os dias. É, como você diz, fato corriqueiro.

— É a primeira vez que o vejo chamar-se de imbecil — disse eu, brincando.

— Como todo mundo, tenho o direito de adotar um papel — respondeu-me friamente Poirot. — Lamento que não tenha apreciado a minha pequena ficção. Tinha até me deliciado com ela...

Mudei de assunto.

— E agora?

— É fácil. Apanhamos seu carro e fazemos uma visita a Morton Manor.

Morton Manor era uma casa grande e feia, do período vitoriano. Um mordomo decrépito recebeu-nos com ar desconfiado. Retirou-se, voltando para perguntar se tínhamos entrevista marcada.

— Por favor, diga à srta. Peabody que somos recomendados pelo dr. Grainger — explicou Poirot.

Depois de alguns minutos de espera, a porta abriu-se e uma senhora gorda e baixa apareceu. Usava um vestido de veludo preto, poído em certos lugares, e um belo lenço ao pescoço, enfeitado com um broche. Seus cabelos, brancos e esparsos, eram repartidos no meio.

— Têm alguma coisa para vender?
— Nada, madame — respondeu Poirot.
— Tem certeza?
— Absoluta.
— Aspiradores?
— Não.
— Meias?
— Não.
— Tapetes?
— Não.
— Muito bem — disse a srta. Peabody, instalando-se numa cadeira. — Acho que está bem. É melhor sentarem-se.

Obedecemos.

— Desculpem perguntar — disse a srta. Peabody —, mas é preciso cuidado. Não imaginam o tipo de gente que aparece. E de nada adiantam os empregados... Não sabem distingui-los. E não se pode, também, criticá-los. Vestem-se bem, falam bem, têm bons nomes. Como se apresentam? Comandante Ridgeway, sr. Scott Edgerton, Capitão d'Arcy Fitzherbert. E são simpáticos, na maioria. Mas antes que se perceba, estão lhe esfregando uma batedeira elétrica no nariz!

Poirot tranquilizou-a rapidamente.

— Asseguro-lhe, madame, de que não temos nada parecido...
— Ainda bem!

Poirot mergulhou na sua história. A srta. Peabody ouviu-o sem fazer qualquer comentário, piscando os olhos vez por outra. Por fim, perguntou:

—Vai escrever um livro, hein?

— Sim.

— Em inglês?

— Certamente.

— Mas é um estrangeiro. É estrangeiro, não é?

— É verdade.

A srta. Peabody transferiu-me o seu olhar.

— Suponho que seja seu secretário.

— Bem... sim — disse eu, num tom duvidoso.

— Escreve em inglês decente?

— Espero que sim.

— Hum... Onde estudou?

— Eton.

— Então não escreve.

Senti-me forçado a deixar sem resposta aquela gravíssima acusação feita contra um venerável centro educacional. A srta. Peabody já se dirigira novamente a Poirot:

—Vai escrever sobre o general Arundell, não?

— Sim. E creio que o conheceu.

— Sim, conheci John Arundell. Bebia.

Fez-se uma pausa momentânea. A srta. Peabody começou a falar, como se recordasse para si mesma:

— Revolta da Índia, é? Parece-me chover no molhado, mas isto é problema seu.

— A senhora sabe, madame. Há uma espécie de moda, nessas coisas. No momento, a Índia está na moda.

— Nesse ponto, o senhor tem razão. Veja as mangas das roupas...

Mantivemos um profundo silêncio.

— Mangas de sino sempre foram feias — comentou a srta. Peabody —, mas sempre caíram bem para os bispos. — Fixou os olhos em Poirot. — Muito bem, agora o que quer?

Poirot abriu os braços:

— Tudo! A história da família, mexericos, a vida íntima...

— Nada lhe posso contar sobre a Índia — disse-lhe ela. — Nunca dei atenção àqueles velhos e suas vantagens. Ele era um sujeito muito tolo... mas não poderia dizer pior do que isto a respeito do general Arundell. Sempre soube que a inteligência não faz carreira de ninguém no Exército. Basta dar atenção à mulher do coronel e ouvir respeitosamente os oficiais superiores, e já se está feito... é o que meu pai costumava dizer.

Considerando a afirmação, Poirot deixou passar alguns minutos, antes de perguntar:

— Conhecia a família Arundell intimamente, não?

— Conheci-os todos — esclareceu a srta. Peabody. — Matilda era a mais velha. Tinha sardas e costumava ensinar na escola dominical. Tinha um fraco por um dos diáconos. Depois, havia Emily. Montava bem. Era a única que podia montar como o pai. Caixas e caixas de bebida eram retiradas à noite de casa e queimadas por ela. Deixe-me ver: em seguida, quem vinha, Arabella ou Thomas? Creio que Thomas. Um homem e quatro mulheres. Sempre lamentei-me por ele, porque isto sempre acaba em criar um bobalhão. Thomas parecia uma mulher velha, e jamais ninguém pensou que algum dia se casaria. Foi um escândalo quando se casou.

A srta. Peabody gesticulou à maneira vitoriana, e prosseguiu, demonstrando grande satisfação e ignorando os presentes, como se estivesse mergulhada no passado:

— Então vinha Arabella. Gorda, feinha. Casou-se logo, embora fosse a que menos beleza tinha, com um professor de Cambridge já bem velho. Se não tinha uns sessenta anos, andava perto. Fez uma série de conferências aqui, creio que sobre as pesquisas da Química Moderna. Eu as assisti, e recordo que tinha péssima dicção. Não consegui ouvir a maior parte do que disse. Arabella costumava ficar por trás dele, fazendo perguntas, mas não era muito jovem também. Devia andar pelos 40. Ele usava barba. Contudo, já estão mortos. Não é tão mau casar com uma mulher feia: sabe-se desde logo que, na pior das hipóteses, não há risco de ser traído. A ela seguiu-se Agnes. Era, a mais nova, e a mais bonita. Todos a achávamos muito alegre, quase tola. Todos apostavam que casar-se-ia logo, mas isto não aconteceu nunca. Morreu logo depois da guerra.

— Disse que o casamento do sr. Thomas — murmurou Poirot — foi meio inesperado.

Mais uma vez a srta. Peabody fez um trejeito.

— Inesperado? E como! Um escândalo! Nunca se esperaria tal coisa de um homem tão tímido, caseiro e devotado à família.

Fez uma pausa para, a seguir, perguntar:

— Lembra-se de um caso que fez celeuma nos anos 90, envolvendo uma sra. Valey, que, segundo se dizia, matara o marido com arsênico? Mulher bonita. Deu o que falar. Foi absolvida. Bem, Thomas Arundell quase perdeu a cabeça. Juntava jornais e cortava as fotografias dela. Tão logo terminou o julgamento, foi para Londres e pediu-a em casamento. Logo Thomas, imagine! Nunca se pode falar nada sobre os homens! De uma hora para a outra, aprontam alguma.

— E o que aconteceu?

— Oh, ela casou-se com ele.

— Não foi um choque para as irmãs?

— Estou certa que sim! Elas não a recebiam, e, pensando bem, não sei se não faria o mesmo. Thomas sentiu-se ofendido. Foi morar nas Ilhas do Canal, e ninguém mais soube dele. Não sei se sua mulher envenenou o primeiro marido, mas tenho certeza de que não envenenou Thomas. Ele morreu três anos após ela. Tiveram dois filhos: um casal. Pareciam-se com a mãe.

— Visitavam a tia com frequência?

— Não até que os pais estivessem mortos. À época, já estavam grandes e vinham passar as férias aqui. Emily estava sozinha no mundo, e os dois e Bella Biggs eram os seus únicos parentes.

— Biggs?

— A filha de Arabella, uma moça tristonha, alguns anos mais velha do que Theresa. Casou-se com um *turco* que estava na universidade. Um médico grego. Um bonitão, de maneiras delicadas, devo admitir. De qualquer forma, não creio que Bella tivesse muitas chances. Passava o tempo ajudando o pai ou enrolando lã para a mãe. E este rapaz era exótico. Atraiu-a.

— Foi um casamento feliz?

— Não diria isto de *qualquer* casamento. Parecem felizes. Têm dois filhos amarelados. Vivem em Smyrna.

— Mas no momento estão na Inglaterra, não?

— Sim, chegaram em março. Acho que voltarão logo.

— A srta. Arundell gostava muito da sobrinha?

— De Bella? Ah, sim. É mulher caseira, sempre com os filhos.

— E a tia, aprovou o marido?

A srta. Peabody fez novo trejeito.

— *Aprovar?* Não aprovou, mas creio que gostava do sujeito. Ele era inteligente, o senhor sabe. Se me compreende, ele a controlava direitinho. Tinha um bom faro de dinheiro, aquele homem.

Poirot pigarreou.

— Soube que a srta. Arundell morreu muito rica? — murmurou.

A srta. Peabody recostou-se na cadeira.

— Foi o que causou tanta celeuma. Ninguém jamais sonhou que estava tão bem. O velho general Arundell deixou uma bela soma para o filho e as filhas. Parte foi reinvestida, e creio que isto deu um bom lucro. Havia algumas ações da Mortauld. Agora, é claro, Charles e Arabella herdaram as suas partes ao casarem. As outras três irmãs viveram aqui, sem gastar um décimo do que tinham, e o resto era reinvestido. Quando Matilda morreu, deixou tudo para ser dividido entre as duas irmãs, e, quando Agnes morreu, deixou sua parte para Emily. E Emily continuou sem gastar muito. Resultado: enriqueceu... e aquela Lawson ficou com tudo!

A srta. Peabody pronunciou a última frase num tom triunfal.

— Foi uma surpresa para a senhora, srta. Peabody?

— Para dizer a verdade, sim. Emily sempre disse que, quando morresse, o dinheiro iria ser dividido entre as sobrinhas e o sobrinho. E, por falar nisto, era assim que estava no testamento original. Um pouco para os criados e o grosso para Theresa, Charles e Bella. Meu Deus, foi uma coisa quando, depois de sua morte, descobriu-se que fizera um novo testamento, deixando tudo para a pobretona srta. Lawson!

— Esse testamento foi feito muito antes dela morrer?

A srta. Peabody lançou a Poirot um olhar penetrante, e respondeu:

— Acho que aí tem coisa!

— Qual é, exatamente, o seu pensamento?

— Não tenho a menor ideia! Como poderia saber, antes de começar o falatório? Não sou advogada. Mas aí tem coisa, guarde bem estas palavras!

Poirot prosseguiu lentamente:

— Alguém contestou o testamento?

— Theresa consultou um advogado, creio. De que adiantou? Qual é a opinião dos advogados em noventa por cento dos casos? "Não adianta." Certa vez, cinco advogados me disseram para não dar entrada numa ação. E eu, que fiz? Nem dei bola! Ganhei o caso. Puseram-me no rol das testemunhas, e um jovem pretensioso de Londres tentou fazer com que eu me contradissesse: "Não creio que possa identificar positivamente estas peles, srta. Peabody. Não têm etiqueta..." Respondi: "Talvez. Mas há uma serzidura no forro, e como o meu guarda-chuva se alguém puder serzir hoje assim." Ele entrou em colapso.

A srta. Peabody fez outro trejeito.

— Imagino — Poirot mediu as palavras — que os ânimos entre a família Arundell e a srta. Lawson andam muito exaltados...

— Nem se poderia esperar outra coisa! Sabe como são as pessoas. Depois da morte, sempre há problemas. Nem bem o defunto esfria, os herdeiros já começam a se degladiar.

Poirot suspirou.

— É bem verdade.

— É da natureza humana — disse, tolerante, a srta. Peabody.

Poirot mudou de assunto.

— É verdade que a srta. Arundell praticava o espiritismo?

A srta. Peabody observou-o com um olhar penetrante.

— Se está pensando — disse — que o espírito de John Arundell voltou e mandou Emily deixar seu dinheiro para Minnie Lawson, e que Emily obedeceu, está muito enganado. Emily não seria tão tola assim. Se me perguntar, diria que para ela o espiritismo estava um ponto acima do jogo de paciência ou biriba. Já esteve com as Tripp?

— Não.

— Se tivesse estado, saberia quanta tolice há nesta coisa. Elas são irritantes, sempre dizendo que receberam esta ou aquela mensagem maluca de um parente que já morreu. O engraçado é que acreditam em tudo. E Minnie Lawson também. Bem, de qualquer maneira é uma forma de passar a noite...

Poirot tentou por outro lado:

— Suponho que conhece o jovem Charles Arundell? Como é ele?

— Não serve para nada. É um rapaz encantador. Sempre sem dinheiro, sempre devendo, e sempre voltando de uma volta ao mundo como moeda quebrada. Mas sabe como levar as mulheres... — Deu um sorriso e acrescentou: — Mas não consegue me enganar: já conheci muitos como ele! Nem parece ser filho do Thomas, um modelo de retidão. De qualquer forma, deve ter sangue sujo... mas eu gosto do tratante, embora saiba que é capaz de matar a avó para conseguir uns centavos. Não tem a menor ideia de moral. É extraordinário como certas pessoas podem ser assim!

— E a irmã?

— Theresa?

A srta. Peabody balançou a cabeça.

— Não sei... É uma moça exótica. Fora do comum. Está noiva de um bobo alegre que é médico aqui. Creio que já o viu...

— O dr. Donaldson.

— Sim. Dizem que é competente, mas sob outros aspectos não vale nada. Se fosse ela, não quereria nada com ele. Mas Theresa deve saber o que está fazendo. Já teve suas experiências...

— O dr. Donaldson tratou da srta. Arundell?

— Vez por outra, quando o dr. Grainger não podia.
— E nesta última doença?
— Acho que não.

Poirot sorriu e insinuou:

— Parece que sua opinião sobre ele, como médico, não é muito boa, srta. Peabody...

— Jamais disse isto. Na verdade, está errado. Ele é até inteligente e capaz ao seu modo... que não é o meu. Por exemplo: antigamente, quando uma criança se empanturrava de maçãs verdes, tinha um ataque de bílis e o médico chamava a doença de ataque de bílis. Voltava para casa e lhe mandava umas cápsulas. Hoje, a criança já tem *acidose* aguda, sua dieta tem de ser observada cuidadosamente, mas ele lhe dá o mesmo remédio, só que na forma de pequenas pílulas brancas, produzidas em laboratório e vendidas a três vezes o preço. Donaldson é desta escola, e muitas mães jovens preferem-no à outra. É que *soa* melhor. Não creio que fique por muito tempo por aqui tratando de sarampo e ataques de bílis. Está com os olhos em Londres, é ambicioso. Quer se especializar.

— Em quê?

— Soroterapia. Creio que é este o nome da especialidade. É a ideia de espetar uma daquelas horríveis agulhas hipodérmicas no corpo de uma pessoa, por melhor que ela esteja, só para prevenir. Odeio aquelas injeções!

— O dr. Donaldson está investigando alguma doença em particular?

— Não me pergunte. Tudo o que sei é que já não se satisfaz com a clínica geral. Quer ir para Londres, mas isto custa um bom dinheiro, e ele é um pobretão.

Poirot murmurou então:

— É lamentável que a falta de dinheiro às vezes seja um entrave à verdadeira competência... E ainda há gente que mal gasta um quarto de seus rendimentos!

— Como Emily Arundell. Deve ter sido uma grande surpresa para certas pessoas quando abriram o testamento. Refiro-me ao montante, não ao modo pelo qual deixou.

— Acha que surpreendeu também à família?
— Não sei bem — respondeu a srta. Peabody, rebrilhando os olhos de excitação. — Sim, e não, talvez... Um deles fazia uma ideia...
— Qual?
— Charles. Ele não é nenhum bobo, e já tinha feito os seus cálculos.
— Muito vivo, não?
— Não é nenhum bobalhão! — exclamou a srta. Peabody, venenosa.

A senhora fez uma breve pausa, e perguntou:
—Vai procurá-lo?
—Tenho esta intenção — declinou Poirot solenemente. — Talvez possua alguns documentos relacionados com o avô.
— É mais possível que tenha feito uma fogueira com eles. Aquele jovem não tem o menor respeito pelos mais velhos.
— Há que tentar todos os caminhos — sentenciou Poirot.
— Parece que sim — concordou ela secamente.
Poirot levantou-se:
— Não devo tomar mais do seu tempo, madame. Sou muito grato pelo que me pôde dizer.
— Fiz o que pude — disse a srta. Peabody. — Mas acho que nos afastamos muito da Revolta da Índia. não?
Cumprimentou-nos aos dois.
— Informe quando o livro sair. Tenho muito interesse.
A última coisa que ouvimos, ao deixar a sala, foi um risinho excitado.

XI

Visita às senhoritas Tripp

— E AGORA — perguntou Poirot ao entrarmos no carro, — o que fazemos?

A experiência aconselhou-me a desta vez não sugerir voltarmos à cidade. Afinal, se Poirot estava se divertindo, por que causar-lhe obstáculos?

Sugeri que tomássemos chá.

— Chá, Hastings? Que ideia! Olhe que horas são.

— É o que se faz. São cinco e meia. O chá é o indicado.

Poirot suspirou.

—Vocês, ingleses, sempre com o chá da tarde! Não, *mon ami*, nada de chá para nós. Outro dia li num livro de etiqueta que não se deve fazer visitas depois das seis. Fazê-lo é cometer solecismo. Entretanto, temos meia hora para atingir nosso objetivo.

— Como você está social hoje, Poirot! Qual a próxima visita?

— Às *demoiselles* Tripp.

— Agora vai escrever um livro sobre espiritismo? Ou ainda é a vida do general Arundell?

— Mais simples do que poderia imaginar, meu amigo. Mas precisamos saber onde moram.

Foi fácil obter o endereço, mas um pouco complicado chegar lá, passando por várias ruelas. A residência das Tripp era uma casa pitoresca... tão antiga e pitoresca que parecia que podia cair a qualquer momento.

Uma garota de seus catorze anos abriu-nos a porta, e espremeu-se contra a parede para que pudéssemos entrar.

Lá dentro estava cheio de vigas de carvalho velho; havia uma lareira aberta e janelas tão pequenas que mal entrava luz. A mobília tinha uma falsa simplicidade: *ye olde oake for ye cottage dweller;** viam-se muitas frutas em cestas de madeira e fotografias — a maioria delas, notei, das mesmas duas pessoas em poses diferentes, e geralmente com buquês de flores ao peito ou de chapéus de palha de abas largas.

A garota desapareceu depois de dizer qualquer coisa, mas ouvimo-la perfeitamente no andar de cima:

— Dois senhores querem vê-la, senhorita.

Ouvimos vozes femininas abafadas e, pouco depois, descia uma senhora pelas escadas, estalando a madeira e esgarçando as saias.

Estava perto dos cinquenta. Tinha os cabelos repartidos como uma *madona,* olhos castanhos, levemente salientes. Usava vestido de musselina que parecia uma fantasia.

Poirot foi ao seu encontro, iniciando a conversa de maneira graciosa:

— Devo desculpar-me pela intrusão, Mademoiselle, mas tenho um certo pressentimento. Vim aqui para encontrar uma senhora, mas ela já não mora em Market Basing, e disseram-me que a senhora certamente teria o seu endereço.

—Verdade? Quem é?

— Srta. Lawson.

— Oh, Minnie Lawson! *É claro*! Somos grandes amigas. Sente-se... Senhor...?

— Parotti. E, aqui, um amigo, o Capitão Hastings.

A srta. Tripp sentou-se e começou a falar alegremente.

— Sente-se aqui... não, por favor... Francamente, prefiro sempre uma cadeira aprumada para mim. Sentem-se bem?... A querida Minnie Lawson... Oh, aí vem a minha irmã.

Mais estalos de madeira e farfalhar de tecido, e juntou-se a nós uma senhora usando um vestido que ficaria bem melhor numa moça de dezesseis anos.

---

* Em inglês arcaico, "o velho carvalho para o morador da cabana". (N. do E.)

— Minha irmã Isabel... Sr... *Parrot*, e... Capitão... *Hawkins*. Isabel, querida, são amigos de Minnie Lawson.

A srta. Isabel Tripp era mais magra do que a irmã, tinha cabelos muito louros, penteados para cima em caracóis. Fazia-se de mocinha e era facilmente reconhecível na maioria das fotografias floridas. Uniu as mãos, num contentamento infantil:

— Mas que engraçado! A querida Minnie! Tem-na visto ultimamente?

— Faz alguns anos que não tenho este prazer — respondeu Poirot. — Não temos tido muito contato. Estive viajando. Foi por isso que fiquei surpreendido e encantado ao saber da boa sorte de amiga tão querida.

— Uma fortuna muito bem merecida! Minnie é uma pérola, tão simples e sincera...

— Júlia! — exclamou, de repente, Isabel.

— O que é, querida.

— "P" é curioso, não? Lembra-se que a *planchette* insistiu no "P" na noite passada? Um visitante que veio do mar, e tinha a inicial "P"...

— Tem razão... — concordou ela.

Fixaram um olhar de êxtase, deliciado, em Poirot. Júlia afirmou docemente:

— Nunca falha!

— Interessa-se pelo ocultismo, sr. Parrot?

— Conheço muito pouco, Mademoiselle, mas como todos os que viajam muito ao Oriente, sou obrigado a admitir a existência de muitas coisas que não compreendemos nem podem ser explicadas por meios naturais.

— Quanta verdade! — exclamou Júlia. —Verdade profunda!

— O Oriente — murmurou Isabel —, terra do ocultismo e do misticismo!

As viagens ao Leste de Poirot, tanto quanto eu sabia, consistiam de uma ida à Síria, estendida ao Iraque, e que não durou mais de umas poucas semanas. No entanto, pela sua conversa poder-se-ia jurar que passara quase a vida inteira em selvas e bazares, e conversas íntimas com faquires, dervixes e mahatmas.

Tanto quanto pude entender, as senhoritas Tripp eram vegetarianas, teosofistas, israelitas britânicas, cientistas cristãs, espíritas e entusiásticas fotógrafas amadoras.

— Parece, às vezes — disse Júlia, com um suspiro — que Market Basing é um lugar impossível de se viver. Aqui não há beleza. Não há *alma*. Não acha que precisamos ter alma para viver, Capitão Hawkins?

— E como! — respondi, embaraçado.

— *Onde não há visão* o *povo perece* — observou Isabel. — Tenho tentado discutir estas coisas com o vigário, mas ele tem-se mostrado demasiado *estreito*. Não acha, sr. Parrot, que todos os credos, hoje em dia, estão se *estreitando*?

— E, no final, tudo é tão simples, realmente — comentou a irmã. — Como sabemos tão bem, tudo é alegria e amor!

— Tem razão, tem razão — disse Poirot. — É lamentável tanto desentendimento e discussão... especialmente sobre dinheiro.

— O dinheiro é tão sórdido — suspirou Júlia.

— Soube que a srta. Arundell se havia convertido...

As duas irmãs se entreolharam.

— Duvido — disse Isabel.

— Ninguém poderia precisar — acrescentou Júlia. — Umas vezes parecia convencida; outras, saía-se com comentários tão... cáusticos!

— Mas você se lembra da última manifestação? — perguntou Júlia. — Aquilo foi notável! Foi na noite em que a srta. Arundell adoeceu. Reunimo-nos depois do jantar, e fizemos uma sessão. Só nós quatro. Sabe o que vimos? Nós três vimos, muito claramente, uma espécie de halo sobre a cabeça da srta. Arundell.

— *Comment*?

— É verdade. Uma espécie de neblina luminosa. — Virou-se para a irmã e perguntou: — Não é assim que você descreveria o que houve, Isabel?

— Exatamente. Uma neblina luminosa que, pouco a pouco, foi-se formando em torno da cabeça da srta. Arundell, como uma auréola de luz tênue. Era um *sinal,* agora sabemos. Indicava que ela estava para passar para o outro lado.

— Extraordinário! — exclamou Poirot, mostrando-se impressionado. — Estava escuro na sala, não?

— Oh, sim, sempre temos melhores resultados no escuro, e, como era uma noite quente, não precisamos da lareira.

— Um espírito muito interessante falou conosco — relatou Isabel. — Chamava-se Fátima e disse-nos que morrera ao tempo das Cruzadas. Deixou-nos uma bela mensagem.

— Ela falou mesmo com as senhoras?

— Não de viva voz, é claro. Falou por meio de pancadas. Amor... esperança... vida... Belas palavras.

— E a srta. Arundell ficou doente na sessão?

— Não, adoeceu depois. Serviram sanduíches e vinho do Porto, mas a srta. Arundell disse que não comeria nada, porque não estava se sentindo bem. Era o início da doença. Ainda bem que não sofreu muito.

— Faleceu quatro dias depois — acrescentou Isabel.

— E já recebemos mensagens dela! — adiantou Júlia, entusiasmada. — Disse que está muito feliz, que tudo lá é belo e que espera que haja amor e paz entre todos os seus entes queridos.

— Mas, creio eu, isto está longe de acontecer...

— Os parentes procederam *desgraçadamente* com a pobre Minnie! — exclamou Isabel, indignada.

— Minnie é a alma mais *desinteressada* que se pode imaginar! — assegurou Júlia.

— E logo apareceu uma porção de gente para acusá-la. Disseram até que ela *manobrou* para que o dinheiro lhe fosse deixado!

— Quando na realidade foi uma grande surpresa para ela...

— Ela nem podia acreditar no que *ouvia* quando o advogado leu o testamento...

— Júlia querida, disse ela, fiquei para morrer, mas estava lá: "Alguns legados para a criadagem e a Littlegreen House e o resto dos meus bens para Wilhelmina Lawson!" Ficou tão atordoada que nem conseguiu falar. Quando recuperou a voz e perguntou a quanto montava a herança, pensando que seriam uns poucos milhares de libras, o sr. Purvis consultou vários papéis e, depois de falar em brutos e líquidos, respondeu-lhe que andava por 375 mil libras! A pobre Minnie quase desmaiou.

— Ela não tinha nenhuma ideia — reiterou a outra irmã. — Nunca lhe passou pela cabeça que isto poderia acontecer.

— Foi isto o que ela lhes disse, não foi?

— Repetiu-o várias vezes! Assim, não está certo que os Arundell a tratem com tanta desconfiança e desprezo. Afinal estamos num país livre...

— O povo inglês parece viver nesse equívoco — murmurou Poirot.

— Acho que é justo cada um dispor do seu dinheiro como quiser! Para mim, a srta. Arundell procedeu com sabedoria. É claro que não confiava nos parentes, e, pelo visto, tinha suas razões!

— Acha? — indagou Poirot, inclinando-se para a frente, interessado.

Diante de tanta atenção, Isabel não se fez de rogada.

— Todo mundo sabe que o sr. Charles Arundell, o sobrinho da srta. Arundell, não vale nada. Acho até que anda sendo procurado pela polícia de algum país. Enfim, é uma pessoa muito indesejável. Quanto à irmã, nunca falei com ela, mas é uma mulher muito estranha. Ultramoderna, é claro, e pintada demais. Só ver aqueles lábios me deixa doente. Parecem *sangue*. E tenho a impressão de que é viciada em *drogas*... comporta-se de modo tão engraçado, às vezes. Está noiva desse bom jovem, dr. Donaldson, mas em certas ocasiões até mesmo ele parece aborrecido com ela. É claro que é atraente à sua maneira, mas espero que o jovem médico pense mais um pouco e se case com uma inglesinha simpática que goste da vida do campo e do ar livre.

— E quanto aos outros parentes?

— A mesma coisa. Indesejáveis. Não que tenha qualquer coisa contra a sra. Tanios. É uma mulher digna, mas de uma estupidez incrível, e está absolutamente dominada pelo marido. Ele, é claro, é turco. Não acha horrível uma moça inglesa casar com um turco? É muita falta de gosto! Mas não há quem não ache que a sra. Tanios não seja uma boa mãe. Os filhos, entretanto, são tão sem graça, coitadinhos!

— Então acha que a fortuna da srta. Arundell está melhor nas mãos da srta. Lawson do que nas de qualquer um deles?

— Minnie Lawson é uma excelente mulher — sentenciou serenamente Júlia — e de um excepcional desinteresse. Tenho certeza de que nunca pensou no dinheiro, nem fez nada para ganhá-lo.

— Mas também não pensou em recusar a herança?

— Quem faria tal coisa? — perguntou Isabel, recuando um pouco.

— Talvez ninguém... — concordou Poirot, sorrindo.

— O senhor sabe, sr. Parrot, ela considera a herança uma demonstração de confiança, uma coisa sagrada — assegurou Júlia.

— E está decidida a fazer qualquer coisa pela sra. Tanios ou por seus filhos — acrescentou Isabel. — Só que não quer que *ele* seja beneficiado.

— Disse até que consideraria a possibilidade de dar uma mesada a Theresa.

— O que demonstra grande generosidade da parte dela, se considerarmos a maneira distante com que sempre a tratou.

— Na verdade, sr. Parrot, Minnie é a mais generosa das criaturas! Mas isto não é novidade para o senhor, que a conhece.

— Sim — concordou Poirot. — Eu a conheço... mas ainda não sei... o endereço.

— Mas claro! Que bobagem a minha! Vou escrevê-lo para o senhor.

— Não, escrevo eu mesmo.

Poirot pegou na sua invariável agenda.

— Clanroyden Mansions, 17, W. 2. Não fica muito longe de Whiteleys. Dê-lhe as nossas lembranças. Não temos sabido muito dela ultimamente.

Levantamo-nos.

— Agradeço-lhes muito, não só pela encantadora conversa, como também pela amabilidade de me fornecerem o endereço da srta. Lawson.

— É de admirar que não lhe tivessem dado na Littlegreen House — observou Isabel. — Aquela Ellen... Os empregados às vezes são tão invejosos e mesquinhos! Às vezes eram muito rudes com Minnie.

Júlia apertou-lhe a mão como uma grande dama.

— Adoramos a sua visita — declarou ela, com graça. — Será que...

Lançou um olhar interrogativo à irmã, e Isabel, um pouco vermelha, hesitou: — Talvez... Talvez quisesse ficar para o jantar... É um jantar simples, de vegetais crus, pão preto com manteiga, frutas...

— Deve estar delicioso — apressou-se a dizer Poirot —, mas infelizmente temos de voltar a Londres.

Depois de novos cumprimentos e de mais recados para a srta. Lawson, conseguimos pôr-nos a salvo.

XII

Poirot discute o caso

— AINDA BEM, Poirot, que você conseguiu nos livrar das cenouras cruas! — agradeci ardorosamente. — Que mulheres!

— *Pour nous, un bifteck* com batatas fritas e uma garrafa de um bom vinho! Por falar naquilo, o que tomaríamos para empurrar os vegetais?

— Só pode ser água! — respondi com repelência. — Ou cidra sem álcool. E que casa! Aposto que não tem banheiro nem pia, a não ser um buraco no quintal.

É estranho como certas mulheres gostam de viver sem o menor conforto — observou, pensativo, o meu amigo. — E não é por falta de dinheiro, pois geralmente conseguem tirar partido das piores circunstâncias.

— Quais são suas ordens para o motorista agora? — perguntei-lhe ao passarmos pela curva da última ruela, entrando na estrada de Market Basing. — Quem visitaremos por aqui agora? Ou voltamos ao restaurante para interrogar outra vez o garçom asmático?

— Você gostará de saber, Hastings, que não temos mais nada para fazer em Market Basing...

— Esplêndido!

— Pelo menos por ora. Mas voltaremos!

— Ainda na pista do seu malogrado assassino?

— Exatamente.

— Conseguiu alguma coisa no monte de bobagens que acabamos de ouvir?

— Achei alguns pontos que merecem atenção — afirmou, com seriedade. — Os vários personagens do nosso drama começam a se desenhar com mais clareza. Sob certos aspectos, parecem uma noveleta dos velhos tempos, não acha? Uma humilde dama de companhia, antes desprezada, ganha uma fortuna e passa a senhora generosa...

— Como essa generosidade deve irritar os que se julgam os herdeiros legítimos!

—Tem razão, Hastings.

Guiei em silêncio durante alguns minutos. Tínhamos atravessado Market Basing e estávamos novamente na estrada principal. Assoviei a canção "Homem, que dia cheio".

—Você se divertiu, Poirot? — perguntei, afinal.

— Não compreendo bem a sua pergunta — replicou-me friamente.

— Bem, pareceu que você aproveitou o dia de folga para fazer a mesma coisa...

—Acha que não estou levando esse caso a sério?

— Claro que sim. Simplesmente o *caso* me parece acadêmico. Você o investiga apenas para um exercício mental... Apenas não o considero... *real*.

—*Au contraire...* é muito real!

— Não me expliquei bem: quis dizer que, se se tratasse de ajudar a velha, de protegê-la contra novos atentados, haveria interesse no caso. Mas, como ela morreu, não consigo entender por que estamos preocupados.

— Pensando desta maneira, jamais se investigaria um assassinato!

— Não, aí é diferente. Nos assassinatos, há cadáveres...

— Não fique irritado... Compreendo perfeitamente. Você faz distinção entre um cadáver e um defunto. Se, por exemplo, a srta. Arundell tivesse sido vítima de violência, em vez de morrer respeitavelmente de uma doença antiga, não seria indiferente aos meus esforços para descobrir a verdade, não é?

— Claro!

— No entanto, você admite que alguém tentou matá-la?

— Sim, mas fracassou, o que faz uma grande diferença...

— Mas você não tem curiosidade de saber *quem* tentou matá-la?

— Sim, de certo modo.

— Temos um círculo de suspeitos muito restrito — murmurou Poirot. — Aquele fio...

— Aquele fio, de cuja existência você está convencido apenas porque viu um prego no chão — interrompi. — Aquele prego pode estar lá há anos!

— Não. O verniz é recente.

— Ainda acho que há mil explicações para o prego estar ali.

— Dê-me uma.

Por mais que tentasse, naquele momento não me ocorreu qualquer explicação. Poirot aproveitou-se do meu silêncio para prosseguir:

— Sim, um círculo muito restrito. O fio só pode ter sido posto de um lado ao outro da escada depois que todos foram dormir. Assim, temos de considerar apenas os que estavam em casa. Isto é, uma das sete pessoas: dr. Tanios, sra. Tanios, Theresa Arundell, Charles Arundell, srta. Lawson, Ellen e a cozinheira.

— Acho que deve deixar de fora os empregados.

— Eles também ganharam alguma coisa, *mon cher*. Aliás, podiam ter outros motivos: despeito, contrariedade, desonestidade...

— Parece pouco provável.

— Concordo, mas devemos considerar tudo.

— Então, comece a contar oito, em vez de sete pessoas.

— Por quê?

Senti-me pronto para marcar um tento.

— Temos de incluir a própria srta. Arundell. Como você sabe que não foi ela quem estendeu o fio, para provocar a queda de qualquer dos outros?

Poirot deu de ombros.

— Isto é uma *betise,* meu amigo. Se a srta. Arundell tivesse preparado uma armadilha, tomaria precauções para não cair nela. Não se esqueça de que foi ela quem levou o tombo.

Abandonei o campo de batalha, desanimado.

— A sequência dos fatos é clara — prosseguiu Poirot, pensativo. — A queda, a carta para mim e a visita do advogado. Há, entretanto, um ponto duvidoso: será que a srta. Arundell guardou a carta que me escreveu, deliberadamente, hesitando em expedi--la? Ou será que pensou tê-la enviado?

— Esta pergunta não podemos responder.

— Mas podemos *supor*. Pessoalmente, acho que pensou tê-la enviado, ficando surpresa pela falta de resposta.

Meus pensamentos, contudo, mudaram de rumo:

—Você acha que esse negócio de espiritismo tem alguma coisa a ver com o caso? — perguntei, explicando: — Quero dizer, será que numa dessas sessões não lhe deram ordem para srta. Arundell mudar o testamento e deixar a fortuna para a srta. Lawson?

Poirot abanou a cabeça.

— Isto não casa com a ideia geral que tenho da personalidade da srta. Arundell.

— As Tripp disseram que Minnie Lawson ficou espantada quando leram o testamento.

— Isso foi o que disseram.

— E você não acredita?

—Você conhece a minha natureza desconfiada, *mon ami*... Não creio em nada do que as pessoas dizem a menos que tenha confirmação.

— Se conheço, meu velho! — concordei, carinhosamente. — Um rapaz crédulo e simpático...

— "Ele disse, ela disse, disseram..." Ora! O que significa isso? Absolutamente nada. Ou pode servir para ocultar a única coisa em que acredito: fatos.

— E quais são os fatos?

—A srta. Arundell levou um tombo. Isto ninguém nega. E esta queda não foi natural. Foi provocada.

— A única prova deste fato... é a palavra de Hercule Poirot!

— De modo algum! Temos a prova do prego, a prova da carta que ela me escreveu, a prova de o cão ter passado a noite fora, a prova das palavras da moribunda em delírio, a respeito da jarra, da inscrição e do cachorro. Tudo isto são *fatos*.

— E o próximo fato, qual é, posso saber?

— O fato seguinte é a resposta à pergunta usual: quem leva vantagem com a morte da srta. Arundell? Resposta: a srta. Lawson.

— A perversa dama de companhia! Mas não se esqueça de que os outros pensavam que ganhariam, e que, à época do acidente, isto teria acontecido!

— Exatamente, Hastings. É por isso que todos são suspeitos. Há, ainda, o fato de a srta. Lawson ter se empenhado em esconder da patroa que Bob passara a noite na rua...

— E acha isto suspeito?

— Não tanto. Apenas faço um registro. Pode muito bem ter sido uma preocupação natural pela paz de espírito da velha. Creio mesmo que a explicação é bem plausível.

Olhei de lado para Poirot. Nunca foi tão cheio de artimanhas!

— A srta. Peabody afirmou achar que houve *marmelada* no testamento — lembrei. — Que quereria dizer com isto?

— Pelo que sei, apenas queria fazer fofoca.

— As influências do além, ao que parece, podem também ser deixadas de lado — asseverei — porque tudo indica que Emily Arundell era sensata demais para acreditar nessas coisas...

— Por que não leva o espiritismo a sério, Hastings?

Observei-o, perplexo.

— Meu caro Poirot, aquelas mulheres...

— Concordo com você a respeito das Tripp — admitiu ele, sorrindo. — Mas o simples fato de terem aderido com entusiasmo ao vegetarianismo, à teosofia e ao espiritismo não basta para amaldiçoarmos estas coisas. Só porque alguém reclama de um mercador por ele ter vendido um camafeu falso não se pode desacreditar de toda a egiptologia.

— Quer dizer que você acredita no espiritismo, Poirot?

— Tenho a mente aberta a respeito. Nunca investiguei isto, mas devo aceitar que muitos homens de ciência e de saber se dizem convencidos da existência de fenômenos que não podem ser atribuídos a... digamos, à credulidade de uma srta. Tripp.

— Então você acreditou naquela história da auréola?
Poirot encolheu os ombros.
— Falava de modo geral, para criticar o seu ceticismo gratuito. Mas asseguro-lhe que, depois de ter opinião formada a respeito de qualquer das Tripp, examinarei cuidadosamente qualquer fato de que vier a saber através delas. Mulheres idiotas sempre são mulheres idiotas, *mon ami,* quer falem de espiritismo, de política, da relação dos sexos ou dos dogmas budistas.
— No entanto, você deu toda a atenção ao que disseram.
— Esta era a minha tarefa de hoje. Ouvir. Ouvir tudo quanto tivessem a dizer-me sobre estas sete pessoas, e, sobretudo, dos cinco principais suspeitos. Já sabemos alguma coisa a respeito deles. Tomemos, por exemplo, a srta. Lawson: pelas Tripp soubemos que é devotada, desinteressada, afetuosa; uma senhora, em suma, de excelente caráter: pela srta. Peabody soubemos que é crédula, estúpida, desprovida de coragem e de cérebro para praticar um crime; pelo dr. Grainger, tivemos conhecimento de que foi espezinhada, de que tinha uma situação um tanto precária e de que não passa de uma boba alegre; pelo garçom do restaurante soubemos que a srta. Lawson é uma *pessoa,* apenas um indivíduo qualquer; e, por Ellen, que Bob a desprezava! Como se vê, a cada um parecia diferente. O mesmo ocorre com os outros. Ninguém demonstrou ter em elevada conta a moral de Charles Arundell, mas todos variaram na maneira de defini-lo. O dr. Grainger chamou-o, com indulgência, de jovem irreverente; a srta. Peabody garantiu-nos que seria capaz de matar a avó por um centavo, mas não nos deixou dúvidas de que é um malandrão; a srta. Tripp não só insinuou achá-lo capaz de cometer um crime, mas também que estaria sendo procurado pela polícia. Todos esses detalhes são muito úteis e interessantes, e prepararam o terreno para o que vem depois.
— E o que vem depois?
—Veremos com nossos olhos, meu amigo.

XIII

Theresa Arundell

DIRIGIMO-NOS, na manhã seguinte, ao endereço fornecido pelo dr. Donaldson.

Disse a Poirot que seria aconselhável visitar o advogado, o sr. Purvis, mas ele discordou:

— Não, meu amigo. O que teríamos para lhe dizer? Como explicaríamos nossa curiosidade?

— Mas você, geralmente, não tem dificuldade em inventar uma razão. Não acha que qualquer mentirinha antiga serviria?

— Ao contrário, meu amigo. Qualquer mentirinha antiga, como você disse, de nada serviria com um advogado. Seríamos postos no olho da rua!

— Oh, sendo assim não vale a pena arriscar!

Rumamos, pois, ao apartamento de Theresa Arundell, localizado num edifício de Chelsea que se debruçava sobre o rio. Tinha uma decoração cara, de estilo moderno, cheio de cromados brilhantes e de grossos tapetes de desenhos geométricos.

Após vários minutos de espera, surgiu uma jovem que nos olhou inquisitivamente.

Theresa Arundell aparentava 28 ou 29 anos, era alta e muito esguia, e lembrava um desenho exagerado, em preto e branco. Tinha cabelos negros, e o rosto, pintado em excesso, era de uma palidez cadavérica. As sobrancelhas, extravagantemente feitas, davam-lhe um ar de ironia sarcástica, e os lábios — uma pincelada escarlate brilhante — eram a única mancha de cor que se notava na brancura do rosto. Embora sua atitude transmitisse grande indiferença, dava a impressão de ter o dobro da vitalidade das pessoas comuns. Parecia ter a energia reprimida de um chicote.

Olhou-nos de modo frio e interrogativo.

Cansado (pensei) de mentir, Poirot resolvera enviar o seu cartão, que Theresa Arundell enrolava nervosamente nos dedos.

— Sr. Poirot? — perguntou.

— Às suas ordens, Mademoiselle — confirmou o meu amigo, curvando-se com a maior cortesia. — Permite-me roubar-lhe alguns minutos do seu precioso tempo?

Imitando vagamente a atitude de Poirot, a moça respondeu-lhe:

— Encantada, sr. Poirot. Queiram sentar-se.

Poirot sentou-se desajeitadamente numa poltrona baixa e quadrada e eu escolhi uma reta, de metal cromado. Theresa instalou-se negligentemente num banco baixo, em frente à lareira, e ofereceu-nos cigarros, que recusamos. Acendeu o seu.

— Talvez conheça meu nome, Mademoiselle?

Theresa assentiu.

— Amiguinho da Scotland Yard, não?

Poirot, creio eu, não deu maior importância ao comentário, redarguindo com certa imponência:

— Eu me ocupo de problemas criminais, Mademoiselle.

— Que empolgante! — exclamou Theresa Arundell, com ar enfastiado. — E pensar que perdi o meu álbum de autógrafos!

— O assunto que me traz à sua casa é o seguinte: ontem recebi uma carta de sua tia.

— *De minha tia?*

— Foi o que eu disse, Mademoiselle.

— Peço-lhe desculpas se lhe estrago o prazer, mas devo confessar-lhe que não existe semelhante pessoa. Todas as minhas tias descansam em paz. A última morreu faz dois meses.

— Srta. Emily Arundell?

— Sim, srta. Emily Arundell. O senhor não recebe cartas de cadáveres, não é?

— Às vezes recebo, Mademoiselle.

— Que macabro!

Havia, entretanto, um novo tom na sua voz, atento e vigilante.

— E que lhe escreveu minha tia, sr. Poirot?

— Isto, Mademoiselle, não posso lhe dizer por enquanto. Trata-se — pigarreou — de assunto um tanto delicado.

Theresa Arundell fumou em silêncio durante algum tempo.

— Parece deliciosamente misterioso — murmurou, afinal.

— Mas que tenho eu a ver com isso?

— Esperava que consentisse em responder a algumas perguntas...

— Perguntas? Sobre o quê?

— Sobre assuntos de natureza familiar.

Notei que arregalou os olhos.

— Oh, mas é estrondoso! E se me desse um exemplo delas, para começar?

— Com a máxima boa vontade. Pode me dizer onde mora atualmente o seu irmão Charles?

Os olhos se apequenaram novamente, e a energia latente que tanto me impressionara pareceu desvanecer-se, como se de repente ela voltasse à casca.

— Lamento, mas não posso. Correspondemo-nos pouco, e creio que ele deixou a Inglaterra.

— Compreendo.

Poirot calou-se, mas Theresa não se conteve e perguntou:

— Era tudo o que queria saber?

— Oh, tenho mais perguntas! Por exemplo: está satisfeita com o modo pelo qual sua tia dispôs da fortuna? E ainda: há quanto tempo está noiva do dr. Donaldson?

— O senhor anda depressa, não é?

— *Eh bien?*

— *Eh bien?* Já que estamos tão poliglotas, a minha resposta para ambas as perguntas é que não são da sua conta! *Ça ne vous regarde pas,* M. Hercule Poirot.

Meu amigo observou-a com atenção e, sem demonstrar qualquer decepção, levantou-se.

— Mais nada? Não me surpreendo. Permita-me, Mademoiselle, que a felicite pelo seu sotaque francês, e que lhe deseje um bom dia. Vamos, Hastings.

Já estávamos na porta quando a moça falou, fazendo-me lembrar novamente de um chicote. Não se moveu de onde estava, mas as palavras que pronunciou estalaram como uma chibatada:

—Voltem aqui!

Lentamente, Poirot obedeceu, sentando-se. Olhou-a interrogativamente.

—Vamos parar de ser idiotas — disse Theresa. —Talvez me possa ser útil, M. Hercule Poirot.

— Ficaria encantado, Mademoiselle. Mas como?

Entre duas baforadas, a jovem respondeu com espantosa serenidade:

— Diga-me como poderei anular o testamento.

— Claro que um advogado...

— Sim, um advogado, talvez. Se eu conhecesse um advogado que fosse realmente bom. Entretanto, os únicos que conheço são respeitáveis demais. Dizem que à luz da lei o testamento é válido e contestá-lo seria fazer despesas inúteis.

— Pelo visto não acredita neles...

— Acredito que há jeito para tudo, desde que esqueçamos os escrúpulos e paguemos bem. Muito bem, *eu estou disposta a pagar!*

— E acha que estou disposto a esquecer os meus escrúpulos se me pagar?

— Se a maioria das pessoas é assim, por que seria uma exceção? É claro que, de início, todos falam de sua honestidade...

— Mas isto apenas faz parte do jogo, não? Supondo que eu estivesse disposto a esquecer os escrúpulos, que poderia fazer?

— Não sei. No entanto, inteligente como todos dizem que é, não lhe seria difícil encontrar uma solução.

— Como, por exemplo?

— Isto é com o senhor — replicou, dando de ombros. — Roubar o testamento e substituí-lo por outro, forjado, raptar Minnie Lawson e assustá-la tanto que acabasse confessando ter induzido a minha tia Emily a deixar-lhe tudo; descobrir um testamento ulterior feito no leito de morte pela velha Emily...

— A fertilidade da sua imaginação me deixa sem fôlego, Mademoiselle!

— Então, o que diz? Fui franca, como viu. Se vai recusar, virtuosamente, a porta é ali.

— Não haverá recusa virtuosa... por enquanto.

Theresa Arundell riu-se, e olhou-me com ironia:

— O seu amigo parece ofendido. Não será melhor mandá-lo ir ver se está chovendo?

Poirot mostrou-se levemente irritado:

— Apreciaria que você controlasse a sua bela natureza honesta, Hastings.

Voltou-se para Theresa:

— Peço-lhe desculpas pelo meu amigo, Mademoiselle. Como já compreendeu, é um homem honesto, mas de lealdade absoluta para comigo. Aliás, deixe-me ressaltar-lhe este ponto: tudo o que fizermos será estritamente dentro da lei.

A moça levantou as sobrancelhas e Poirot acrescentou pensativo:

— A lei tem grande latitude.

— Compreendo — disse ela, com um leve sorriso. — Muito bem, sob este aspecto estamos entendidos. Quer combinar qual será a sua parte do total... se é que haverá este total?

— Fica entendido também que terei uma parte pequena.

— Combinado também.

— Agora, ouça-me, Mademoiselle — rogou Poirot, inclinando-se para a frente. — Em noventa e nove por cento dos casos, estou do lado da lei; no resto... bem, o resto é diferente e, regra geral, mais lucrativo... Mas tudo tem de ser feito muito disfarçadamente... e muito, muito, devagar. A senhora compreende, tenho uma reputação, tenho de ter cuidado.

Theresa Arundell assentiu.

— É preciso também conhecer *todos* os detalhes. Preciso da verdade! Não há dúvida de que compreende que, quando se sabe a verdade, é mais fácil inventar mentiras...

— Parece bem razoável.
— Muito bem. Então, diga-me: quando foi feito este testamento?
— No dia 21 de abril.
— E o testamento anterior?
— Há cinco anos.
— Quais eram as disposições?
— Uma parte para Ellen, outra para a antiga cozinheira, e o resto seria dividido entre os filhos de seu irmão Thomas e de sua irmã Arabella.
— O dinheiro era legado em fideicomisso?
— Não, era-nos deixado sem restrições.
— Pense bem antes de responder: sabia dos termos do testamento?
— Oh, sim. Charles, eu, Bella. Tia Emily nunca fez segredo. E, quando um de nós lhe pedia um empréstimo, costumava dizer que ficaríamos com tudo quando morresse, e deveríamos nos contentar com este fato.
— Ela seria capaz de se recusar a emprestar algum dinheiro em caso de doença ou necessidade urgente?
— Creio que não.
— Mas ela achava que a senhorita tinha todo o necessário para viver?
— Sim — respondeu ela, amarga.
— E... não tinha?
Theresa esperou um momento, e replicou:
— Meu pai deixou trinta mil libras para cada um. Os juros, bem investidos, chegam a mil e duzentos ao ano. O imposto de renda leva uma parte. Parece um bom rendimento, mas eu... — a voz de Theresa modificou-se, ela endireitou o corpo e jogou a cabeça para trás, exibindo a exuberante vitalidade por mim notada — eu quero algo melhor na minha vida! Quero o que há de melhor! A melhor comida, as melhores roupas... Beleza, não apenas andar na moda. Quero viver a vida e gozá-la. Ir para o Mediterrâneo e mergulhar nas suas águas mornas, sentar-me

numa mesa e jogar, dar festas loucas, absurdas, extravagantes... Quero tudo o que há neste mundo podre. E não quero "qualquer dia", mas já!

A voz de Theresa era maravilhosamente excitante, morna, embriagante.

Poirot estudou-a demoradamente e perguntou:

— E tem tido tudo isto... agora?

— Sim, Hercule, tenho!

— E quanto resta das trinta mil libras?

Soltou uma gargalhada e replicou:

— Duzentas e vinte e uma libras, catorze shillings e seis pence. Como se vê, meu velho, seu pagamento depende do resultado. Se não houver resultado, não haverá honorários.

— Nesse caso — disse Poirot de modo afetado — haverá resultados!

— Você é um homenzinho bom, Hercule! Sinto-me feliz por estarmos juntos.

Poirot prosseguiu como se tratasse de negócios:

— Há certas coisas que preciso absolutamente de saber. Usa drogas?

— Não, jamais.

— Bebe?

— Muito, mas não por vício. Minha turma bebe e eu bebo com eles, mas poderia deixar amanhã.

— Muito bom.

Ela se riu.

— Não abrirei o jogo nos meus copos, Hercule!

— Casos de amor?

— Muitos, no passado.

— E no presente?

— Apenas Rex.

— O dr. Donaldson?

— Sim.

— No entanto, ele parece muito diferente da vida de que há pouco falou.

— E ele é.

— E ainda assim gosta dele. Por quê?

— Oh, quais são as razões? Por que Julieta gostava de Romeu?

— Porque, com a devida deferência a Shakespeare, ele foi o primeiro homem que ela viu.

— Oh, mas Rex não foi, nem de longe, o primeiro que vi. — Theresa falou, num tom mais baixo: — Mas creio que será o último.

— Mas ele é pobre, Mademoiselle.

Theresa assentiu.

— E ele, também, precisa de dinheiro?

— Desesperadamente. Claro que não pelas mesmas razões que as minhas. Ele não quer luxo nem beleza, ou diversão, nem essas coisas. Ele usaria o mesmo terno até que aparecessem buracos, e comeria uma costela congelada todos os dias, e até tomaria banho em uma banheira quebrada. Se tivesse dinheiro, iria todo em tubos e equipamentos de laboratório. É ambicioso. Sua profissão significa tudo para ele. Até mais para ele... até que eu.

— Ele sabia que a senhorita entraria no dinheiro quando sua tia morresse?

— Eu lhe contei. Oh! Mas só depois que ficamos noivos. Não vai se casar comigo por dinheiro, se é o que queria saber.

— Ainda estão noivos?

— Claro que sim.

Poirot interrompeu-se. Seu silêncio pareceu perturbar Theresa.

— Claro que sim — repetiu ela. — O senhor o viu?

— Ontem, em Market Basing.

— Por quê? O que lhe disse?

— Nada. Somente lhe pedi o endereço de seu irmão.

— Charles? — A voz de Theresa afinou-se novamente. — O que quer de Charles?

— Charles? Quem me chamou?

Era uma voz nova, uma agradável voz masculina.

Um jovem bronzeado, sorridente, entrou na sala.

— Quem está perguntando por mim? Escutei meu nome no hall, mas juro que não espionava! No reformatório de Borstal, eram muito rigorosos com quem espionava a conversa dos outros. Então, Theresa, o que há? Vamos, desembuche!

XIV

Charles Arundell

DEVO CONFESSAR que mal tinha posto os olhos nele e já experimentava uma instintiva simpatia por Charles Arundell. Tinha um ar alegre e descuidado, um brilho divertido no olhar, e seu sorriso era o mais cativante que já vira.

Cruzou a sala e sentou-se no braço de uma poltrona pesada.

— O que há, mana? — insistiu.

— Este é o sr. Hercule Poirot, Charles. Ele se dispôs a... fazer um trabalhinho sujo para nós, em troca de uma pequena consideração.

— Protesto — bradou Poirot. — Não se trata de nenhum trabalho sujo! Digamos um pequeno dano inofensivo, a fim de a intenção original da srta. Arundell ser efetivada.

— Pode considerar o serviço como quiser — disse Charles, satisfeito. — Mas por que Theresa foi lembrar-se do senhor?

— Não foi ela que se lembrou de mim — esclareceu Poirot. — Eu é que vim por minha própria conta.

— Oferecer-lhe os serviços?

— Não foi bem assim. Vim perguntar pelo senhor, e sua irmã me informou que estava no exterior.

— Theresa é uma mulher muito cautelosa. Raramente se engana. Na realidade, é desconfiada como o diabo.

Charles sorriu, afetuosamente, para Theresa, que, ao invés de corresponder, mostrou-se preocupada e pensativa.

— Obviamente — disse Charles —, não estaremos enganados? Creio que o sr. Poirot se celebrizou por desmascarar criminosos, e não por instigá-los e ajudá-los...

— Não somos criminosos — protestou Theresa.

— Mas estamos perto disso — declinou, afavelmente, Charles. Eu até pensei numa falsificaçãozinha, o que é do meu estilo... Fui expulso de Oxford por causa de um pequeno mal-entendido acerca de um cheque. E aquilo era trabalho de criança, mera questão de adicionar um zero... Houve ainda outra confusão com a tia Emily e um banco local... Burrice da minha parte. Devia saber que a velha era *muito viva*. No entanto, tudo isto não é nada, coisa de cinco e dez libras. Um testamento em leito de morte será muito arriscado. Para começar, teria de chegar àquela Ellen e... suborná-la, induzi-la, aliciá-la, levá-la a dizer que testemunhara. Difícil. Talvez fosse obrigado a casar com ela, para depois não poder testemunhar contra mim!

Calou-se, sorriu amavelmente para Poirot, e prosseguiu:

— Estou certo de que instalou um ditafone secreto, e a Scotland Yard está ouvindo tudo.

— O seu problema interessa a mim — disse Poirot, com um tom de censura. — Claro que não poderia participar de nada que fosse contra a lei, mas há muitos caminhos...

Calou-se, significativamente.

Charles Arundell deu de ombros:

— Não duvido da existência de caminhos tortos ao pé da letra da lei — concordou, maliciosamente. — O senhor sabe...

— Quem testemunhou o testamento? Refiro-me ao de 21 de abril.

— Purvis veio com um empregado, e o jardineiro serviu de segunda testemunha.

— E foi assinado na presença de Purvis?

— Foi.

— E o advogado, suponho, é pessoa da maior responsabilidade?

— Purvis, Purvis, Charlesworth e outra vez Purvis são quase tão respeitáveis e impecáveis como o Banco da Inglaterra — declinou Charles.

— Não gostou de lavrar o testamento — acrescentou Theresa — e até creio que, de maneira impecável, tentou dissuadir tia Emily de fazê-lo.

Charles interveio:

— Ele lhe falou isto, Theresa?

— Sim. Fui vê-lo novamente ontem.

— Não foi bom, querida. Você tem de entender isto.

Theresa deu de ombros, e Poirot falou:

— Eu lhes pediria que me fornecessem o máximo de informações sobre as últimas semanas de vida da srta. Arundell. Para começar, entendo que a senhorita e seu irmão, bem como o dr. Tanios e sua mulher, passaram a Páscoa com ela...

— É verdade.

— Aconteceu alguma coisa de importante naquele fim de semana?

— Não creio.

— Nada? Mas pensei...

Charles interveio...

— Como você é egocêntrica, Theresa! Nada de importante aconteceu *para você!* Também, apaixonada do jeito que está por Donaldson... Deixe-me dizer, sr. Poirot, que Theresa tem um menino-de-olhos-azuis em Market Basing. Um dos carniceiros locais. Em consequência, perdeu o sentido das proporções... Na realidade, a minha querida tia voou escada abaixo e quase se foi. Devia ter ido. Ter-nos-ia poupado toda a confusão.

— Caiu escada abaixo?

— Sim, tropeçou na bola do cachorro. O cão a tinha deixado no alto da escada e ela não viu.

— Quando foi isto?

— Deixe ver... Terça-feira, na noite anterior à nossa partida.

— A srta. Arundell machucou-se muito?

— Infelizmente não bateu com a cabeça. Se tivesse batido, teríamos afirmado que ela sofrera de lesão cerebral — ou sei lá o nome científico... Não, não se feriu.

— Muito decepcionante para vocês — comentou, secamente, Poirot.

— Compreendo aonde quer chegar. Sim, horrível. A velha era dura.

— Foram todos embora na quarta de manhã?

— Sim.

— Dia 15, portanto. Quando voltaram a ver sua tia?

— Não foi no fim de semana seguinte. Foi no outro.

— Então seria... dia 25?

— Sim, acho que sim.

— E quando ela morreu?

— Na sexta-feira seguinte.

— Mas adoeceu na segunda-feira à noite?

— Sim.

— Na segunda-feira em que partiram?

— Sim.

— Não voltaram durante a sua doença?

— Só na sexta-feira. Não imaginávamos que estava tão mal.

— Ela ainda estava viva?

— Não. Morreu antes de chegarmos.

Poirot, então, interrogou Theresa:

— Acompanhou seu irmão em ambas as visitas?

— Sim.

— E, neste segundo fim de semana, ninguém falou no novo testamento?

— Não.

Charles, entretanto, havia discordado da irmã.

— Oh, sim — disse ele. — Falou-se.

Falou aereamente, como sempre, mas parecia um tanto constrangido, como se sua atitude fosse estudada.

— Falou-se? — repetiu meu amigo.

— Charles! — repreendeu Theresa.

— Não lembra, mulher? — perguntou-lhe o irmão, sem olhá-la. — Eu lhe falei... Foi como se tia Emily lançasse um ultimato. Sentou-se como um juiz na corte, e fez um discurso.

Disse que não aprovava todos os seus parentes... quer dizer, a mim e Theresa. Bella, não tinha nada contra ela, mas, por outro lado, desconfiava e desgostava do seu marido. *Só use o que for nacional,* sempre foi o seu lema. Se Bella herdasse alguma coisa de vulto, Tanios conseguiria pôr-lhe a mão, garantia tia Emily. Ou não fosse grego! "Ela está melhor assim" — disse ela. Depois, afirmou que nem eu nem minha irmã tínhamos competência para ter dinheiro. Achava que íamos pôr tudo fora num instante. E acabou por dizer que fizera novo testamento, deixando tudo para a srta. Lawson. "Apesar de bobalhona" — disse — "considero-a uma boa alma, muito leal e dedicada. Não tem culpa de não ter miolos. Achei melhor avisar-lhe, Charles, para que saiba que não deve pedir dinheiro contando com a herança". Foi um golpe duro para mim, pois isso era precisamente o que pretendia fazer.

— Por que não me falou nada, Charles? — disse Theresa, irritada.

— Pensava que tinha contado... — desculpou-se ele, fugindo com o olhar.

— E qual foi sua resposta, sr. Arundell? — perguntou Poirot.

— Eu? — perguntou nebulosamente Charles. — Eu dei uma gargalhada. Não vale a pena ser rude. "Como queira, tia Emily" — disse-lhe eu. — "Fico um tanto chocado, mas o dinheiro é seu e deve fazer dele o que quiser."

— E a sua tia?

— Disse que eu era um bom jogador, pois sabia perder! "Que outro remédio tenho eu, tia Emily? E na verdade, se não tenho mais esperanças, que tal me dar uma de dez agora?" E ela, divertindo-se, deu-me uma de cinco.

— Disfarçou bem os seus sentimentos.

— Se quer mesmo saber, não levei a coisa muito a sério.

— Não?

— Não. Achei que era coisa de gente velha para nos assustar, e convenci-me de que dali a algumas semanas, ou meses, rasgaria o testamento. Tia Emily era muito apegada à família. Ainda agora estou convencido de que teria mudado os termos se não morresse tão depressa.

— Ah! — exclamou Poirot. — Ideia bem interessante...

O detetive permaneceu calado por algum tempo, para, afinal, perguntar:

— Alguém... a srta. Lawson por exemplo... ouviu a conversa?

— Creio que sim. Não falávamos muito baixo. Na verdade, a srta. Lawson estava até perto da porta quando saí. Na minha opinião, estivera escutando.

Poirot voltou-se, pensativo, para Theresa:

— Não sabia de nada a respeito?

Charles não lhe deu, entretanto, tempo para responder.

— Theresa, tenho certeza de que lhe contei... ou pelo menos insinuei — insistiu, observando a irmã com uma ansiedade despropositada.

Theresa declarou vagarosamente:

— Se me tivesse dito, não creio que esquecesse. Que lhe parece, sr. Poirot?

— Creio que tem razão — respondeu-lhe Poirot vagarosamente.

Voltou-se então para Charles Arundell:

— Deixe-me esclarecer bem um ponto: a srta. Arundell lhe disse que *ia* modificar o testamento, ou que já o tinha feito?

— Oh, foi muito clara a esse respeito. Até mostrou o testamento.

Poirot inclinou-se para a frente, os olhos arregalados:

— Isto é muito importante. O senhor diz que a srta. Arundell mostrou-lhe o testamento?

— Sim — respondeu Charles, aborrecido. — Mostrou.

— Poderia jurar isto?

— Claro que sim! — Charles olhou nervosamente para Poirot. — Não sei o que pode haver de importante nisto.

Theresa levantou-se e acendeu um cigarro.

— E a senhorita? — perguntou abruptamente Poirot. — Sua tia não lhe disse nada de importante nesse fim de semana?

— Não creio. Mostrou-se amável... quero dizer, tão cordial como sempre... e fez-me um sermão sobre meu modo de vida, o que também já era um hábito. Mas parecia mais nervosa do que o normal.

— Suponho, Mademoiselle, que passou a maior parte do tempo com o seu noivo? — insinuou, sorrindo.

— Ele não estava na cidade — replicou ela, secamente. — Fora a um congresso médico.

— Não se viam desde a Páscoa? Foi essa a última vez que o viu?

— Sim, na noite anterior à nossa partida. Ele jantou conosco.

— Não teve nessa ocasião... desculpe-me... nenhuma discussão com ele?

— Certamente não.

— É que imaginei, já que estava ausente na sua segunda visita...

Charles interrompeu:

— Compreenda, esse segundo fim de semana não foi planejado. Fomos lá pelo impulso do momento.

— É mesmo?

— Ora, digamos a verdade — disse Theresa. — O senhor sabe, Bella e o marido estiveram lá no fim de semana anterior por causa do acidente de tia Emily, e ficamos com receio de que tivessem nos passado para trás.

Charles sorriu e acrescentou:

— Pensamos que seria melhor demonstrarmos também um pouco de preocupação pela saúde da velha. Mas ela era esperta demais para cair nessa. Sabia quanto valia. Não era tola, a tia Emily.

De repente, Theresa deu uma gargalhada.

— Bela história, não? Todo mundo com a língua de fora por dinheiro!

— Era a mesma coisa com seu primo e o marido?

— Oh, sim. Bella está sempre pendurada. Chega a ser patético o modo como tenta copiar os meus vestidos por um oitavo do custo! O Tanios andou especulando com o dinheiro dela, ao que parece, e agora a vida lhes ficou difícil, ainda mais que têm dois filhos e querem educá-los na Inglaterra.

— Poderia dar-me o endereço?

— Estão no Durham Hotel, em Bloomsbury.

— Como é sua prima?

— Bella? Uma chata! Hein, Charles?!

— Oh, sem dúvida! Parece uma bruxa. É mãe devotada, como todas as bruxas.

— E o marido?

—Tanios? Bem, é um sujeito engraçado, mas bom sujeito. Inteligente, divertido, camarada.

— Concorda, Mademoiselle?

— Confesso que gosto mais dele do que de Bella. Ao que consta é um excelente médico, mas ainda assim não confiaria muito nele.

— A Theresa não confia em ninguém — comentou Charles, passando-lhe o braço pelos ombros. — Nem em mim.

— Só se fosse louca, meu amor!

Os irmãos desfizeram o abraço e olharam para Poirot, que acenou com a cabeça e caminhou para a porta.

— Aceito a missão. É difícil, mas, como diz Mademoiselle, há sempre jeito para tudo. A propósito, esta srta. Lawson é do tipo que possa ser interrogada num tribunal?

Charles e Theresa se entreolharam.

— Creio — disse Charles — que um bom advogado conseguiria fazê-la dizer que preto é branco.

— Isto pode vir a ser muito útil — assegurou Poirot, saindo da sala seguido por mim.

No hall, pegou o chapéu, encaminhou-se para a porta, abriu-a e fechou-a de novo, ruidosamente. Em seguida, voltou nas pontas dos pés até a entrada da sala e encostou descaradamente o ouvido à parede. Qualquer que tenha sido a escola frequentada por Poirot, obviamente lá não reprimiam muito a espionagem. Fiquei horrorizado, mas impotente. Fiz vários sinais a Poirot, que não lhes deu a menor importância.

E então, pela voz aguda e vibrante de Theresa Arundell, ouvimos claramente duas palavras:

— Seu idiota!

Ouvimos passos no corredor e Poirot, agarrando-me pelo braço, abriu novamente a porta, arrastou-me para fora e fechou-a sem fazer o menor ruído.

XV

A srta. Lawson

— POIROT, será preciso espionar as portas? — perguntei indignado.
— Calma, meu amigo! Quem escutou fui eu. Você, pelo contrário, ficou duro como um soldado.
— Bem, mas também ouvi.
— Claro! Mademoiselle não falou baixo...
— Porque pensava que já tínhamos saído.
— Sim. Praticamos uma pequena indiscrição.
— Não me agrada agir assim.
— Sua atitude moral é irrepreensível. Mas não nos repitamos. Quantas vezes vamos discutir pela mesma coisa? Não demora muito e você me diz que não é legal, e eu respondo que assassinato também não é.
— Mas não estamos diante de nenhum assassinato.
— Não tenha tanta certeza.
— Talvez houvesse *intenção*. Mas *assassinato* e *tentativa de homicídio* não são a mesma coisa.
— Moralmente são. Mas o que eu queria saber é se você tem certeza de que tratamos apenas de uma tentativa de homicídio.

Olhei-o fixamente.

— Mas a srta. Arundell morreu de causas absolutamente naturais!
— Pergunto novamente: tem certeza?
— Todo mundo diz!
— Todo mundo? Oh, *lá lá!*
— O médico disse isto — enfatizei. — O dr. Grainger. Ele deve saber.

— Sim, deve saber. Mas você sabe muito bem que muitas vezes se têm exumado cadáveres de pessoas cuja certidão de óbito foi assinada de boa fé pelo médico atendente.

— Sim, mas neste caso a srta. Arundell morreu de doença antiga.

— É o que parece...

A voz de Poirot refletia ainda insatisfação. Observei-o com extrema curiosidade.

— Poirot — disse-lhe —, você tem certeza de não estar se deixando levar por excesso de zelo profissional? Quer que tenha sido assassinato, e assim acha que foi assassinato.

O detetive franziu as sobrancelhas e balançou a cabeça lentamente.

— É sábio o que acaba de dizer, Hastings. É como uma ferida na qual se toca. Minha profissão é desmascarar assassinos. Sou um cirurgião que se especializou em... digamos... apendicectomia ou uma operação mais rara. Sempre que vê um cliente, considera-o do ponto de vista da especialidade: haverá alguma razão possível para pensar que este homem sofre disto e daquilo? Eu sou assim também. Pergunto-me sempre: pode ser assassinato? E, como vê, há sempre esta possibilidade.

— Não diria que há muita probabilidade neste caso — observei.

— Mas ela morreu, Hastings! Não se pode fugir deste fato. Ela *morreu!*

— Estava mal de saúde. Tinha mais de setenta anos. Tudo me parece muito natural.

— E lhe parece também natural que Theresa Arundell tenha chamado o irmão de idiota naquele tom de voz?

— O que tem uma coisa a ver com a outra?

— Tudo! Agora, diga-me o que pensa da declaração de Charles segundo a qual a srta. Arundell lhe exibira o testamento?

— E você, o que acha? — perguntei-lhe, quase sem perceber. Por que teria de ser sempre Poirot a fazer perguntas?

— Acho muito interessante. Tão interessante quanto a reação da srta. Arundell a essas palavras do irmão... Aquele duelo foi sugestivo. Muito sugestivo.

— Hum... — murmurei, em tom oracular.

— Isto abre duas linhas de raciocínio.

— Parece mais um bom par de vigaristas. Prontos para tudo. A garota é atraente; quanto ao jovem Charles, ele é certamente um espertalhão de boas maneiras.

Poirot já acenava a um táxi. Sentamo-nos e ele deu o endereço ao motorista:

— Clanroyden Mansions 17, Bayswater.

— Agora é Minnie Lawson — sentenciei. — E depois... Tanios?

— Exatamente, Hastings.

— Que papel você representará agora? — perguntei, ao chegarmos ao endereço. — Biógrafo do general Arundell, possível comprador da Littlegreen House, ou um outro, ainda mais sutil?

— Serei pura e simplesmente Hercule Poirot.

Poirot meramente me deu um olhar de soslaio e pagou o táxi.

O número 17 ficava no segundo andar. Fomos atendidos por uma empregadinha de aspecto atrevido, que nos pediu para passar a uma sala ridícula, comparada àquela da qual saíramos.

A sala de Theresa Arundell era nua, quase vazia. A da srta. Lawson, por sua vez, era tão atravancada de móveis que mal se podia caminhar por ela, com receio de quebrar alguma coisa.

A porta se abriu e uma senhora robusta, de meia-idade, veio ao nosso encontro. A srta. Lawson era o que eu imaginara: rosto ansioso, abobalhado, cabelos grisalhos mal penteados e um *pincenê* desajeitadamente pendurado por sobre o nariz. Falava aos arrancos, como se entre espasmos.

— Bom dia. Não creio...

— Srta. Wilhelmina Lawson?

— Sim... é o meu nome.

— Chamo-me Poirot, Hercule Poirot. Ontem fui ver a Littlegreen House.
— Sim?
A boca da srta. Lawson abriu-se ainda um pouco mais, e ela tentou inutilmente ajeitar o cabelo com as mãos.
— Não querem sentar? — convidou. — Aqui, por favor... Oh, meu Deus, essa mesa no caminho... Estou um pouco apertada... esses apartamentos! São tão pequenos, mas também tão centrais! Gosto de morar no centro. E os senhores?
Sentou-se numa cadeira vitoriana, de aspecto desconfortável, e, sem endireitar o *pincenê,* inclinou-se para a frente e olhou para Poirot com expressão esperançosa.
— Fui à Littlegreen House disfarçado de comprador — revelou Poirot —, mas gostaria de dizer-lhe, desde já, confidencialmente...
— Oh, não se preocupe — interrompeu-o a srta. Lawson, cheia de curiosidade.
— ... Muito confidencialmente — prosseguiu Poirot — que fui lá com outro objetivo. Não sei se sabe que, pouco antes de morrer, a srta. Arundell me escreveu... — Fez uma pausa e concluiu: — Sou um detetive conhecido.
As mais diversas expressões passaram pelo rosto avermelhado da srta. Lawson, enquanto eu me perguntava qual delas mais interessaria ao meu amigo: alarme, surpresa, excitação, perplexidade...
— Oh! — exclamou e, inesperadamente, perguntou: — Ela lhe escreveu a respeito do dinheiro?
Até Poirot foi apanhado de surpresa.
— Refere-se — levantou ele — ao dinheiro que... — titubeou.
— Sim, ao dinheiro que levaram da gaveta.
— A srta. Arundell não lhe disse que me escrevera sobre isto? — perguntou então, calmamente, o meu amigo.
— Não, não disse... Confesso... sim, confesso que isto até me surpreende muito...
— Pensou que não mencionaria o assunto a ninguém?

— Não imaginava que fosse fazê-lo... Compreende, ela tinha uma ideia muito boa...

Interrompeu-se novamente. Poirot disse-lhe, rápido:

—Tinha uma ideia de quem o levara. É o que ia dizer, não?

A srta. Lawson assentiu e prosseguiu, perdendo o fôlego:

— Não me ocorreu que tencionasse... bem, ela disse... isto é, pareceu achar...

Mais uma vez Poirot ajudou-a:

—Tratava-se de um assunto de família.

— Exatamente.

—Assuntos de família são minha especialidade — afirmou, descaradamente, o meu amigo. — Compreende, sou muito discreto...

A srta. Lawson retomou o vigor:

— Oh, sem dúvida! Não é como se fosse a *polícia*...

— Oh, não. Sou muito diferente da polícia. Isto não daria qualquer resultado.

— Oh, não. A minha cara srta. Arundell era muito orgulhosa. Claro que antes houve um problema com Charles, mas tudo foi abafado. Uma vez, creio, teve até de ir para a Austrália.

— Imagine! — exclamou Poirot. — Então os fatos se passaram assim: A srta. Arundell tinha uma soma na gaveta...

Fez uma pausa, e a srta. Lawson foi logo confirmando.

— Sim. Uma soma que sacara do banco para pagar os empregados.

— E quanto desapareceu, exatamente?

— Quatro notas de libra. Não, três notas de libra e duas de 10 shillings. Acho que nesses casos é preciso ser exato.

A srta. Lawson observou Poirot avidamente, de olhos arregalados, e com um gesto distraído desajeitou ainda mais o *pincenê*.

— Obrigado, srta. Lawson. Vejo que tem um excelente senso.

A srta. Lawson empertigou-se e soltou uma gargalhada.

— Naturalmente a srta. Arundell suspeitou de Charles...

— Suspeitou.

—Apesar de não ter provas definitivas?

— Ah, mas tinha de ser ele! A sra. Tanios não faria tal coisa, e seu marido era estranho na casa; não sabia onde estava o dinheiro... nenhum deles, aliás. Quanto a Teresa Arundell, não creio que seja capaz de tamanho atrevimento: nunca lhe falta dinheiro e anda sempre muito bem-vestida.

— Podia ter sido uma das empregadas — insinuou Poirot.

— Oh, não! — protestou a srta. Lawson, como se a ideia a horrorizasse. — Nem Ellen nem Annie jamais sonhariam em fazer tal coisa. São absolutamente honestas.

Poirot esperou um momento para dizer:

— Pergunto-me se poderá esclarecer... mas estou certo de que sim, pois se alguém merecia a confiança da srta. Arundell era a senhora...

— Não posso lhe garantir isto — murmurou, confusa, mas lisonjeada.

— Creio que me poderá ajudar.

— Se puder, com prazer... seja no que for...

— É um assunto muito confidencial.

A srta. Lawson de repente assemelhou-se a uma coruja. A palavra *confidencial* tinha uma certa magia para ela. E funcionou como um *abre-te sésamo*.

— Tem ideia do que poderia ter levado a srta. Arundell a mudar o testamento?

— O testamento?... Testamento?... — gaguejou, apatetada.

— Não é verdade que a srta. Arundell, antes de morrer, fez um novo testamento, deixando tudo para a senhora? — perguntou, vagarosamente, Poirot, observando-a fixamente.

— Sim, mas eu não sabia de nada... absolutamente de nada! — O protesto fez-lhe a voz esganiçada. — Foi uma surpresa enorme para mim! E maravilhosa, também, é óbvio! E nunca me deu a menor indicação de que o faria. A menor indicação! Quase desmaiei quando o sr. Purvis leu o testamento. Não sabia para onde olhar, ou se rir ou chorar. Asseguro-lhe, Monsieur Poirot, que tive um choque com a bondade da srta. Arundell. É claro que às vezes esperei ganhar alguma coisa, muito embora não houvesse razão para me fazer herdeira de nada. Não tinha trabalhado para ela por muito tempo. Mas era como um conto de fadas! Até agora não consigo acreditar. E às vezes, bem, às vezes, não consigo me sentir bem, pensando nisto. Bem, quer dizer...

Retirou o *pincenê*, levantou-o e prosseguiu, ainda com maior incoerência:

— Às vezes acho que... bem, carne e sangue são carne e sangue, e não me sinto bem com o fato de a srta. Arundell ter deixado de fora toda a família. Não parece *direito,* não é? Pelo menos deixasse alguma coisa. Uma fortuna tão grande! Ninguém poderia imaginar! Mas... bem... isto faz com que a gente não se sinta à vontade. E falam muito por aí, o senhor sabe. E logo eu, que nunca tive mau caráter! Quero dizer, jamais pensaria em influenciar ninguém... nem poderia, ainda que quisesse. Para dizer a verdade, tinha até um certo medo dela! Era tão mordaz, tão pronta a atropelar a gente! E, às vezes, tão bruta! "Não seja idiota", dizia frequentemente. E eu tinha as minhas suscetibilidades, e ficava magoada. E, no final das contas, era tão minha amiga! Foi maravilhoso, não acha? Mas, como disse, tenho sido alvo de muitas indelicadezas e acho que, para certas pessoas... bem, é *duro,* para certas pessoas...

— Quer dizer que preferiria renunciar ao dinheiro?

Por um momento a expressão dos olhos claros e obtusos da srta. Lawson me pareceu diferente. Não parecia uma boba alegre, mas uma mulher inteligente e vivaz.

— Bem, há o reverso da medalha — respondeu, com um sorriso nervoso. — Tudo tem duas faces... A srta. Arundell *quis* que eu ficasse com o dinheiro. Se renunciasse a ele, estaria indo contra os seus desejos. E isto não seria justo, não é?

— É uma situação difícil — murmurou Poirot, abanando a cabeça.

— Sem dúvida, e tenho me preocupado muito. A sra. Tanios, Bella, é uma excelente mulher, mãe de duas crianças pequenas... Quero dizer, estou certa de que a srta. Arundell não desejaria que ela... enfim, acho que a querida srta. Arundell desejava que eu fosse discreta: não queria deixar o dinheiro diretamente para Bella, com medo de que o marido se apoderasse dele.

— Quem?

— O marido. Ela está debaixo do seu sapato. Faz tudo o que ele manda e creio até que seria capaz de *matar alguém,* se ele mandasse. Ela tem medo dele, estou certa disso. Uma ou duas vezes tive a oportunidade de vê-la apavorada. Isto não é justo, sr. Poirot.

— Que tipo de homem é o dr. Tanios?

— Bem... é muito atraente — disse a srta. Lawson, hesitando.

— Mas não confia nele?

— Bem... não. Não sei. Confesso que não confiaria em homem algum. Ouve-se tanta coisa! Quantos sofrimentos trazem para as mulheres! Creio que o dr. Tanios finge ser muito amigo da mulher, mostrando-se encantador para com ela. Tem maneiras encantadoras, mas não confio em estrangeiros. São muito manhosos! Tenho certeza de que a srta. Arundell não queria que o seu dinheiro lhe caísse nas mãos!

— É duro que a srta. Theresa Arundell e o sr. Charles Arundell também fiquem privados da sua herança — insinuou Poirot.

— Creio que Theresa tem o dinheiro de que precisa! — disse a srta. Lawson, com a face avermelhada. — Ela gasta centenas de libras apenas em roupas. Quanto à roupa de baixo, é verdadeiramente pecaminosa! E pensar que tantas moças bem-educadas têm de trabalhar para sustentar-se...

— Acha que, se tivesse de trabalhar durante algum tempo para ganhar o dela, isto não lhe faria mal, hein?

— Ao contrário. Acho que far-lhe-ia muito bem. A adversidade nos ensina muita coisa, e talvez a chamasse à razão.

Poirot assentiu, sem deixar de observá-la.

— E Charles.

— Charles não merece um *pêni*. Se a srta. Arundell o deserdou, teve boas razões para isso, depois das maldosas ameaças que lhe fez!

— Ameaças? — repetiu Poirot, erguendo as sobrancelhas.

— Sim, ameaças!

— Que tipo de ameaças? E quando as fez?

— Ora, deixe-me ver... sim, foi na Páscoa. No próprio domingo de Páscoa, o que torna tudo mais condenável.

— O que disse?

— Ela recusou-lhe dinheiro, e ele disse que era muito insensata, e que se continuasse assim... Que expressão foi mesmo? Foi algo muito ordinário. Ah, já sei! Iria cuidar da saúde dela.

— Cuidar da saúde dela?

— Isso mesmo.

— E a srta. Arundell?

— Ela disse: "Você vai ver, Charles, como sei cuidar de mim mesma."

— A senhora estava na sala?

— Não exatamente na sala — disse a srta. Lawson, fazendo uma pausa.

— Compreendo, compreendo — apressou-se Poirot. — E Charles, o que disse?

— "Não confie muito."

— A srta. Arundell levou a sério aquela ameaça?

— Confesso que não sei. Não me falou sobre isto... nem eu esperava que falasse.

— A senhora naturalmente sabia que a srta. Arundell pensava em fazer um novo testamento... comentou lentamente Poirot.

— Não, já lhe disse que foi uma surpresa para mim. Jamais poderia imaginar...

— Não sabia dos *termos* — interrompeu Poirot —, mas tinha conhecimento do *fato*? Ou seja: não sabia que iria preparar um novo testamento?

— Bem, desconfiei... ela mandou chamar o advogado quando estava acamada.

— Isto foi depois do tombo, não?

— Exatamente. Bob, o cão, deixou a bola no alto da escada. Ela tropeçou e rolou.

— Um acidente muito desagradável.

— Sem dúvida. Podia ter quebrado uma perna ou um braço.

— Ou ter morrido.
— Com certeza — concordou, com naturalidade.
—Vi Bob na Littlegreen House — murmurou Poirot, sorrindo.
— Deve tê-lo visto, sim. É um bom cachorrinho.

Nada me irrita mais do que ouvir chamar-se de cachorrinho um *terrier* brincalhão. Assim, não tive dúvidas das razões de Bob para desprezá-la.

— É um animal inteligente, não?
— Oh, muito!
— Imagine como ficaria triste se soubesse que quase matou a dona!

A srta. Lawson não respondeu. Limitou-se a balançar a cabeça e suspirar.

— Acha possível que a queda tenha influenciado a srta. Arundell para mudar o testamento?

Neste ponto aproximamo-nos perigosamente do centro da questão, mas a srta. Lawson parecia achar tudo muito natural.

— Não me admiraria. Ela ficou assustada. Os velhos jamais gostam de lembrar a possibilidade de morrerem. Mas um acidente como aquele faz as pessoas *pensarem*. Ou talvez ela tenha tido uma *premonição* de que sua morte não tardaria.

Poirot comentou casualmente:
— Ela estava em boa saúde, não?
— Oh, sim. Muito bem.
— Então sua doença foi repentina?
— Sim, foi muito inesperada. Naquela noite recebemos algumas amigas — a srta. Lawson fez uma pausa.
— Suas amigas, as senhoritas Tripp. Eu as conheci. São encantadoras.

O rosto da srta. Lawson brilhou de prazer.
— São mesmo, não? E são tão cultas! Têm interesses tão amplos! Tão *espirituais!* Suponho que lhe tenha falado das nossas sessões? Acho que seja cético, mas gostaria de poder-lhe dizer da nossa alegria por entrar em contato com os que já morreram.

— Imagino, imagino...

— O senhor sabe, sr. Poirot, minha mãe comunicou-se comigo, e mais de uma vez. É tão grande a alegria de saber que um ente querido continua pensando na gente e nos guiando!

— Compreendo perfeitamente — assegurou o meu amigo.

— E a srta. Arundell? Também acreditava?

O rosto da srta. Lawson anuviou-se um pouco.

— Queria acreditar — disse ela, com pouca convicção —, mas creio que nem sempre considerasse o assunto do modo correto. Era cética e incrédula, e uma ou duas vezes esta atitude atraiu um espírito muito indesejável. Recebemos mensagens atrevidas... tudo por causa, estou certa, da srta. Arundell.

— Não me surpreenderia — concordou Poirot.

— Mas, naquela noite... Isabel e Júlia não lhe contaram? Naquela última noite, registraram-se fenômenos bem nítidos. Na verdade, iniciou-se uma materialização. Ectoplasma... Sabe, talvez, o que seja ectoplasma?

— Sim, sim. Conheço sua natureza.

— Como o senhor sabe, sai como uma *fita* da boca do médium, e assume uma *forma*. Agora estou *convencida,* sr. Poirot, que a srta. Arundell era médium, embora não o soubesse. Naquela noite, vi perfeitamente a querida srta. Arundell deixar sair pela boca uma fita luminosa, que em pouco tempo formou uma auréola sobre a sua cabeça.

— Interessantíssimo!

— A srta. Arundell, porém, sentiu-se mal e suspendemos a sessão.

— Quando chamou o médico?

— Foi a primeira coisa que fiz na manhã seguinte.

— Ele achou que a doença era grave?

— Bem, à tarde ele mandou uma enfermeira, mas creio que esperava que a srta. Arundell ficasse boa.

— Oh... perdoe-me, mas não chamaram os parentes?

A mulher respondeu um tanto enrubescida:

— Foram avisados tão logo foi possível... quer dizer, quando o dr. Grainger disse que estava em perigo.

— O que lhe fez mal? Algo que tivesse comido?

— Não creio que tenha sido nada em particular. O dr. Grainger disse que ela não cuidara devidamente da dieta, mas pareceu-me que atribuiu tudo a um resfriado. O tempo estava muito traiçoeiro.

— Theresa e Charles Arundell tinham passado lá o fim de semana?

A srta. Lawson franziu os lábios:

— Sim.

— Mas não obtiveram o que queriam durante a visita, não é?

— Não. — A Srta. Lawson acrescentou, rancorosa: — A srta. Arundell sabia muito bem o que queriam...

— O que queriam?

— Dinheiro. Mas não conseguiram.

— Não?

— Creio que também foi esta a razão que levou o dr. Tanios lá.

— O dr. Tanios? Ele também esteve na Littlegreen House, naquele fim de semana?

— Apareceu no domingo. Mas só ficou por uma hora.

— Parece que todo mundo andava atrás do dinheiro da srta. Arundell...

— É triste, não acha?

— Certamente. Deve ter sido uma grande surpresa para Charles e Theresa Arundell quando a tia lhes disse que os deserdara.

A srta. Lawson olhou-o espantada.

— Mas não é verdade que ela os informou claramente a respeito?

— Não sei. Não ouvi nada sobre isto nem percebi qualquer discussão. E, quando partiram, Charles e a irmã pareciam muito bem dispostos.

— Talvez eu tenha sido mal informado. A srta. Arundell guardava em casa o testamento?

A srta. Lawson deixou cair o *pincenê*, e abaixou-se para apanhá-lo.

— Realmente não sei. Mas creio que ficava em poder do sr. Purvis.

— Quem era o testamenteiro?

— O sr. Purvis.

— Ele esteve na Littlegreen House, após o falecimento, e examinou os papéis da srta. Arundell?

— Sim.

Poirot observou-a firmemente e lançou-lhe uma pergunta inesperada.

— Gosta do sr. Purvis?

A mulher admirou-se.

— Se gosto do sr. Purvis? Bem, não é fácil responder... Considero-o muito inteligente, bom advogado, mas tem modos um tanto ríspidos. Quero dizer: não é agradável que uma pessoa nos fale como se... não sei explicar o que sinto... Ele foi educado, não posso negar, mas pareceu-me, ao mesmo tempo, bem rude.

— Uma situação difícil para a senhora — disse Poirot.

— Sem dúvida — assentiu a srta. Lawson, suspirando.

— Muito obrigado pela amabilidade e pelo auxílio que me prestou — agradeceu Poirot, levantando-se.

— Não há o que agradecer. Se houver mais alguma coisa em que eu possa ajudar...

Poirot, que chegara à porta, voltou. Falou-lhe em voz baixa:

— Acho, srta. Lawson, que existe uma coisa que a senhora precisa saber: Charles e Theresa Arundell pretendem contestar o testamento.

O rosto da mulher assumiu várias colorações, e ela respondeu:

— Não podem fazer isso! Meu advogado garantiu-me que não podem!

— Então consultou um advogado?

— Certamente! Por que não?

— Sim. Por que não? Acho que agiu certo. Bom dia, Mademoiselle.

Mal tínhamos saído, Poirot respirou fundo.

— Hastings, *mon ami,* das duas uma: ou aquela mulher é exatamente o que pareceu, ou é uma excelente atriz.

—Você deve ter notado que ela está convencida de que a morte da srta. Arundell foi natural.

Poirot não respondeu. Em certas ocasiões, sofre de uma surdez muito conveniente. Fez sinal para um táxi e deu o endereço ao motorista:

— Durham Hotel, Bloomsbury.

XVI

A sra. Tanios

— UM CAVALHEIRO a procura, madame.

A mulher que escrevia sentada a uma mesa do salão de leitura do Durham Hotel voltou a cabeça, levantou-se e veio ao nosso encontro.

A sra. Tanios podia ter qualquer idade acima dos trinta. Era uma mulher alta, magra, de cabelos escuros, olhos salientes e inexpressivos, e rosto inquieto. Um chapéu da moda estava dependurado em sua cabeça num ângulo esquisito, e usava um vestido de algodão de péssimo aspecto.

— Não creio... — começou ela, vagamente.

Poirot fez uma reverência.

— Acabo de visitar sua prima, a srta. Theresa Arundell.

— Oh, Theresa? Sim?

— Poderia dar-me alguns minutos para uma conversa particular?

A sra. Tanios olhou em torno. Poirot sugeriu-lhe o sofá de couro num canto distante. Caminhando na sua direção, ouvimos uma vozinha de criança:

— Mamãe, aonde vai?

— Estarei por ali. Vamos, continue a sua carta, querida.

A criança, uma menina magra e aparentemente irritadiça, dos seus sete anos, retomou o que fazia, pelo visto com dificuldade, já que punha a língua de fora no esforço da redação.

O canto do salão estava deserto. A sra. Tanios sentou-se, e fizemos o mesmo. Observou Poirot com um olhar interrogativo.

O detetive começou:

— É com referência à morte de sua tia, a srta. Emily Arundell.

Estaria eu começando a ver fantasmas, ou aparecera uma expressão alarmada naqueles olhos pálidos?

— Sim?

— A srta. Arundell mudou seu testamento muito pouco tempo antes de morrer, deixando toda a sua fortuna para a srta. Wilhelmina Lawson. Desejava saber, sra. Tanios, se apoia seus primos na tentativa de obter a anulação desse documento.

— Oh! — exclamou a sra. Tanios, surpresa. — Mas não creio que isto seja possível, não é? Quero dizer, meu marido consultou um advogado, que entendeu ser melhor não fazer nada.

— Os advogados, minha senhora, são homens muito cautelosos. Geralmente aconselham evitar-se o litígio, e quase sempre têm razão. Mas às vezes vale a pena correr o risco. Como não sou advogado, encaro o assunto de modo diferente. A srta. Arundell... quero dizer, a srta. Theresa Arundell... está disposta a lutar. E a senhora?

— Eu... francamente não sei. — Torceu os dedos nervosamente, e acrescentou: — Tenho de falar com meu marido.

— Obviamente poderá consultar seu marido antes de tomar a sua decisão definitiva. Mas qual sua opinião pessoal a respeito?

— Bem... não sei... depende tanto do meu marido...

— Mas a senhora, o que pensa?...

A sra. Tanios franziu as sobrancelhas e respondeu vagarosamente.

— Não creio que a ideia me atraia muito. Parece... Parece indecente.

— Acha, madame?

— Acho. Afinal de contas, se tia Emily resolveu deixar o dinheiro fora da família, devemos nos resignar.

— Então não se sente lesada?

— Pelo contrário! — afirmou, enrubescendo. — Acho tudo muito injusto, muito. E acho também inesperado. Nem parece um gesto da tia Emily. Foi muito injusta para com as crianças.

— Então o procedimento da srta. Arundell lhe parece estranho?

— Até mesmo extraordinário!
— Seria então possível que não tivesse agido por sua livre e espontânea vontade? Não lhe parece que tenha sido influenciada?

A sra. Tanios franziu novamente as sobrancelhas e disse, quase relutando:

— O problema é que não posso imaginar tia Emily sendo influenciada por alguém! Era muito dona de si.

— Tem razão. E a srta. Lawson também não é o que possamos considerar um caráter forte.

— Não. É uma boa pessoa, um tanto tola, talvez, porém boa, muito boa. É por isto que em parte acho que...

— Sim, madame?

— Enfim, que seria mesquinho contestar o testamento — respondeu, torcendo as mãos. — Estou certa de que ela não tem culpa nenhuma. Considero-a incapaz de planejar uma coisa destas ou uma intriga.

— Mais uma vez estou de acordo, madame.

— Assim, acho que levar o caso aos tribunais seria... pouco digno, ofensivo, além de caro, talvez.

— Sim, seria caro.

— E possivelmente inútil. No entanto, seria melhor o senhor conversar com meu marido. Tem uma cabeça melhor do que a minha para esses assuntos.

Poirot deixou passar um ou dois minutos, e perguntou:

— O que poderia estar por trás do testamento?

— Não faço a mínima ideia — respondeu, corando.

— Disse-lhe, madame, que não sou advogado, mas notei que não perguntou qual era a minha profissão.

A sra. Tanios observou-o inquisitiva. Poirot explicou:

— Sou detetive. Pouco antes de morrer, a srta. Emily escreveu-me uma carta.

A sra. Tanios inclinou-se para a frente, com as mãos apertadas.

— Uma carta? Acerca de meu marido?

— Lamento não ter liberdade para responder — murmurou o detetive, depois de observá-la por alguns momentos.

Ela elevou um pouco a voz, e prosseguiu:

— Então era acerca de meu marido! Que dizia ela? Posso afirmar-lhe, senhor... Qual é mesmo o seu nome?

— Poirot. Hercule Poirot.

— Posso afirmar-lhe, sr. Poirot, que se nessa carta se dizia alguma coisa contra o meu marido, é inteiramente falso. Sei quem pode tê-la inspirado! E esse é um dos motivos pelos quais prefiro não me envolver em qualquer ação de Theresa e Charles. Theresa nunca gostou do meu marido; tem dito coisas a seu respeito. Tia Emily não simpatizava com ele por ser estrangeiro, e certamente acreditaria em qualquer coisa que dissessem contra ele. Mas são mentiras, sr. Poirot. Dou-lhe a minha palavra!

— Mamãe, acabei a carta.

A sra. Tanios voltou-se, com um sorriso terno, e pegou a carta que a menina lhe estendia.

— Ótimo, querida. E que belo desenho do Mickey!

— E agora, o que faço, mamãe?

— Tome este dinheiro. Compre um cartão-postal bonito daquele senhor da portaria, para mandar ao Selim.

A menina saiu, e eu me lembrei das palavras de Charles Arundell. A sra. Tanios era, sem dúvida, uma mãe e esposa devotada, assim como parecia uma bruxa.

— É sua filha única, madame?

— Não, tenho mais um menino. Saiu com o pai...

— Não iam a Littlegreen House?

— Iam às vezes. Mas o senhor compreende, tia Emily era idosa e as crianças a incomodavam. No entanto, sempre foi boa para com eles, e no Natal mandava-lhes bons presentes.

— Quando viu a srta. Arundell pela última vez?

— Acho que uns dez dias antes da sua morte.

— A senhora, seu marido e seus primos estiveram juntos naquela ocasião?

— Não, isso foi no fim de semana anterior, na Páscoa.

— Mas a senhora e seu marido voltaram lá no fim de semana seguinte?

— Sim.

— E a srta. Arundell estava com boa saúde?

— Sim, pareceu-me como sempre.

— Não estava de cama?

— Estava, devido a um tombo que levara, mas desceu durante a nossa visita.

— Fez algum comentário sobre o testamento?

— Não, nenhum.

— E notou alguma diferença no tratamento que ela lhes deu?

Desta vez a pausa foi mais prolongada.

— Não.

Naquele momento, eu seria capaz de jurar que Poirot e eu tínhamos a mesma opinião: Ela mentia!

— Talvez deva explicar-lhe que, ao perguntar se a atitude da srta. Arundell se alterara, referia-me à senhora, pessoalmente, e não em relação ao casal.

— Compreendo! — respondeu prontamente. — Tia Emily foi muito boa para mim: deu-me um alfinete com uma pérola e diamantes, e mandou dez *shillings* para cada criança. — Sua voz, desta vez, não demonstrava qualquer constrangimento.

— E quanto ao seu marido, notou alguma diferença?

O constrangimento voltou. A sra. Tanios, ao responder, não pôde olhar Poirot nos olhos.

— Não, não notei nada. Por que haveria de notar?

— Em vista da sua insinuação de que Theresa Arundell poderia ter envenenado a mente de sua tia.

— E estou certa de que o fez! — asseverou. — Tem razão, notei uma diferença: de repente, tia Emily mostrou-se distante e comportou-se de modo estranho. Meu marido recomendou-lhe um preparado digestivo especial... teve até o cuidado de aviá-lo na farmácia e levar-lhe... mas ela agradeceu secamente e, mais tarde, *vi-a* despejar tudo na pia!

Poirot pestanejou diante de tamanha veemência e indignação.

— É um estranho modo de agir — concordou, tendo o cuidado de não deixar transparecer na voz o seu entusiasmo.
— Pois para mim foi uma ingratidão! — comentou a sra. Tanios.
— As senhoras idosas costumam não gostar de estrangeiros e pensar que os médicos ingleses são os únicos no mundo. A solidão causa estas coisas.
— Acho que sim — concordou a sra. Tanios, mais serena.
— Quando voltam a Smyrna, madame?
— Dentro de algumas semanas. Meu marido... Aí vem ele com Edward!

XVII

O dr. Tanios

DEVO CONFESSAR que minha primeira impressão do dr. Tanios foi de choque. Eu o desenhara mentalmente com uma série de sinistros atributos. O retrato era o de um estrangeiro de barba negra, tez morena e feições carregadas; em vez disto, surgiu um homem rotundo, jovial, de cabelos e olhos castanhos. Só não me enganara na barba: usava-a, como adorno, e era castanha, o que lhe dava uma aparência de artista.

Seu inglês era perfeito. Sua voz tinha um timbre agradável, que não destoava da expressão simpática do seu rosto.

— Chegamos! — exclamou, sorrindo para a mulher. — Edward adorou esta primeira viagem pelo metrô. Também, até agora só andara de ônibus!

Edward parecia-se fisicamente com o pai, mas tanto ele como a irmã tinham um aspecto de estrangeiros, o que me fez compreender por que a srta. Peabody os considerava macilentos.

A presença do marido pareceu deixar a sra. Tanios nervosa. Gaguejando, apresentou-lhe Poirot, ignorando-me pura e simplesmente.

Imediatamente o dr. Tanios reconheceu o meu amigo:

— Poirot? *Monsieur* Hercule Poirot? Conheço-o muito de nome! O que o traz a nós, meu caro?

— Uma senhora recentemente falecida, a srta. Emily Arundell.

— A tia de minha mulher? Mas sobre o quê?

— Surgiram certos problemas relacionados com a sua morte...

— É sobre o testamento, Jacob — interrompeu a sra. Tanios.

— O sr. Poirot esteve com Theresa e Charles.

O dr. Tanios sentou-se, mais à vontade.

— Ah, o testamento! Uma iniquidade, mas não me diz respeito.

Poirot relatou a conversa que tivera com os dois Arundell, modificando um pouco a verdade, devo dizer, e, cautelosamente, insinuou que talvez houvesse uma possibilidade de contestar o testamento.

— Isto me interessa sobremaneira, sr. Poirot. E confesso que partilho de sua opinião. Cheguei a consultar um advogado, mas a orientação recebida não foi encorajadora. Por isso... — deu de ombros.

— Como já disse à sua esposa, os advogados são cautelosos e não gostam de correr riscos. Mas eu sou diferente! E o doutor?

Tanios soltou uma gargalhada retumbante, exclamando:

— Oh! Eu não me importo de correr riscos! Já tenho passado por eles, hein, Bella? — sorriu à mulher, que lhe correspondeu maquinalmente. Prosseguiu então, voltando-se para Poirot:

— Também não sou advogado, mas estou convencido de que o testamento foi redigido quando a velha já não sabia o que fazia. Aquela Minnie é inteligente e astuta.

A sra. Tanios movimentou-se constrangida. Poirot observou-a perguntando:

— Não concorda, madame?

— Sempre a achei bondosa — replicou, fracamente. — E não a considero inteligente.

— Foi bondosa para você, minha querida, porque sabia que, de você, nada teria a temer — disse-lhe o marido. — Você é muito fácil de enganar!

Tanios falava carinhosamente, mas Bella corou, aborrecida.

— Já comigo não se comportou desse jeito — prosseguiu. — Não gosta de mim, e não esconde isto. Dou-lhe um exemplo: a velha rolou a escadaria, numa ocasião em que estávamos na Littlegreen House, e insisti em voltar lá para saber como ela ia. Pois Minnie Lawson fez tudo para nos impedir de aparecer. E, como não conseguiu, irritou-se. A razão é óbvia: *queria estar sozinha com a velha*.

— Concorda, madame? — perguntou novamente Poirot.

O marido, entretanto, não lhe deu tempo para responder.
— Bella tem um excelente coração. É incapaz de atribuir más intenções a qualquer pessoa. Eu, porém, estou certo de que não me engano. E digo-lhe mais, Monsieur Poirot: a srta. Lawson usava o espiritismo para ter ascendência sobre a srta. Arundell! Pode ter a certeza de que era assim!
— Acha?
— Certamente, meu caro. Esse negócio toma conta das pessoas. Ficaria surpreendido com os casos que tenho visto! Sobretudo na idade da velha... Apostaria que foi através do espiritismo que lhe fizeram a sugestão. Um espírito qualquer... quem sabe, o do pai?... ordenou-lhe que mudasse o testamento e deixasse tudo para Minnie Lawson. E, como ela andava adoentada...

A sra. Tanios moveu-se inquieta, mais uma vez. Poirot voltou-se para ela:
— Acha possível?
— Vamos, Bella — ordenou-lhe o marido. — Diga o que pensa!

Olhou-a de modo a encorajá-la. A mulher observou-o de maneira estranha, hesitou, e disse, afinal:
— Sei muito pouco sobre essas coisas, mas acho que você tem razão, Jacob...
— Esteja certa disto, minha querida!

Poirot balançou a cabeça, e murmurou:
— Talvez... Suponho, que estiveram em Market Basing no fim de semana que antecedeu à morte da srta. Arundell, não?
— Estivemos lá na Páscoa, e voltamos no fim de semana seguinte.
— Não. Refiro-me ao fim de semana depois desse. Esteve lá no domingo, dia 26, não?
— Oh, Jacob, você esteve?! — exclamou Bella Tanios, com os olhos arregalados.

Tanios voltou-se rapidamente para a mulher.
— Você não se lembra de que estive? — disse-lhe, admirado.
— Não lhe disse que passei por lá de tarde?

Poirot e eu olhávamos para a sra. Tanios, que, nervosamente, empurrou o chapéu mais para trás.

— Claro que se lembra, Bella! Que memória terrível, a sua!

— Ah, sim! — concordou Bella, com um sorriso amarelo. — Desculpem, tenho péssima memória. E como já são quase dois meses...

— Nessa ocasião, suponho, a srta. Theresa e o sr. Charles Arundell também estiveram lá...

— Talvez, mas não os vi — respondeu o dr. Tanios, com naturalidade.

— Então, fez uma visita rápida?

— Cerca de meia hora somente.

O olhar inquisitivo de Poirot parecia perturbá-lo.

— É melhor dizer tudo, agora — murmurou, constrangido. — Esperava arranjar um empréstimo, mas não tive sorte. Infelizmente a tia de minha mulher não simpatizava muito comigo, o que sempre lamentei, pois gostava dela. Era durona.

— Posso fazer-lhe uma pergunta com toda franqueza, dr. Tanios?

Seria impressão minha, ou os olhos do médico ficaram momentaneamente apreensivos?

— Certamente, Monsieur Poirot.

— Qual a sua opinião sobre Theresa e Charles Arundell?

— Theresa e Charles? — repetiu o médico, parecendo aliviado. Sorriu afetuosamente para a mulher:

— Bella, querida, suponho que não se ofenderá se for sincero sobre seus parentes?

A sra. Tanios abanou a cabeça e sorriu.

— Muito bem: corruptos até a alma, os dois! No entanto, por estranho que pareça, gosto mais do Charles. É um malandrão, porém simpático. Não tem moral, é verdade, mas há pessoas que nascem assim.

— E Theresa?

— Não sei... — respondeu, hesitante. — É uma moça extremamente insinuante, sem dúvida. Mas acho-a insensível. Na

minha opinião seria capaz de matar qualquer pessoa, a sangue-
-frio, se lhe conviesse. Talvez seja imaginação minha... Sabe que
sua mãe foi julgada por homicídio?

— E absolvida...— completou Poirot.

— É verdade... Contudo, basta para dar-nos o que pensar...

— Conhece o rapaz de quem está noiva?

— Donaldson? Conheço; jantou uma noite na Littlegreen
House.

— Que acha dele?

—Tem talento, acho que irá longe, se tiver chance. A espe-
cialização custa dinheiro.

— Quando disse talentoso, estava se referindo à profissão?

— Exatamente. É um crânio! — Sorriu e acrescentou: —
Por enquanto ainda não aprendeu a brilhar nos salões da socie-
dade, e tem maneiras rígidas. Ele e Theresa formam um casal
engraçado: a atração dos polos de nomes diferentes... ela, uma
borboleta mundana; ele, um eremita.

As duas crianças começaram a bombardear Bella Tanios com
perguntas e protestos:

—Vamos almoçar? Estou cheio de fome! Vamos chegar atra-
sados!

Poirot olhou o relógio e exclamou:

— Mil perdões! Atrasei o seu almoço...

A sra. Tanios olhou para o marido e murmurou, acanhada:

—Talvez possamos oferecer-lhes...

— É muito amável, madame, mas tenho um compromisso
para almoçar e também já estou atrasado — esclareceu o meu
amigo, sem deixá-la prosseguir.

Cumprimentamos o casal e as crianças e retiramo-nos.

Demoramo-nos um pouco no hall, pois Poirot queria telefonar. Esperei-o perto da recepção, quando vi a sra.Tanios percor-
rendo o salão com os olhos, como se procurasse alguém.

Parecia assustada e receosa. Ao ver-me, encaminhou-se, apressada, na minha direção.

— O seu amigo... Já se foi?

— Não, está no telefone.
— Oh!
— Queria falar com ele?

Fez que sim com a cabeça, mostrando-se cada vez mais nervosa.

Naquele momento Poirot deixou a cabina, e chegou-se a nós.

— Monsieur Poirot — começou a mulher, em voz baixa e apressada —, há uma coisa que gostaria de lhe dizer. Tenho de lhe dizer...

— Estou às suas ordens, madame...
— É importante... muito importante...

Interrompeu-se bruscamente, ao ver que o marido vinha, com os filhos, ao nosso encontro.

— Tinha mais alguma coisa a dizer a Monsieur Poirot, Bella? — perguntou o médico, sorridente.

A sra. Tanios hesitou, antes de declarar que sim, completando:

— Mas isto é tudo, Monsieur Poirot. Apenas queria que dissesse a Theresa que apoiaremos qualquer atitude que decida tomar. Acho que a família deve ficar unida, solidária.

Acenou-nos adeus, deu o braço ao marido, e acompanhou-o ao restaurante.

— Não era isto que ela queria dizer! — exclamei.

Poirot abanou a cabeça, seguindo com o olhar o casal que se afastava.

— Mudou de ideia — completei.
— É verdade, *mon ami*.
— Mas por quê?
— Daria tudo para saber...
— Quem sabe, noutra ocasião... — disse eu, esperançoso.
— Dirá? Receio... que não possa.

XVIII

Uma agulha num palheiro

ALMOÇAMOS NUM restaurante próximo. Estava ansioso por saber o que Poirot pensava a respeito dos vários membros da família.

— Então? — perguntei-lhe, impaciente.

Com um ar de censura, o detetive devotou toda a sua atenção ao cardápio. Depois de fazer o pedido, recostou-se na cadeira, partiu o pão e disse ironicamente:

— Então, Hastings?

— O que pensa deles, depois de vê-los a todos?

Poirot respondeu vagarosamente:

— *Ma foi,* creio que formam um grupo bem interessante! Francamente, este caso é um estudo encantador! É... como se diz?... Uma caixa de surpresas? Repare que, cada vez que digo ter uma carta da srta. Arundell, surge alguma coisa. A srta. Lawson falou do dinheiro que desapareceu, e a sra. Tanios veio logo perguntando se era sobre o marido. Por que a srta. Arundell iria me escrever sobre o dr. Tanios?

— Aquela mulher tem alguma coisa na cabeça...

— Sim, ela sabe alguma coisa. Mas *o quê?* A srta. Peabody nos diz que Charles Arundell mataria a avó por alguns centavos; a srta. Lawson, que a sra. Tanios mataria fosse quem fosse se o marido lhe mandasse; o dr. Tanios chama Theresa e Charles de corruptos, e insinua que sua mãe era uma assassina, e, ainda mais, diz casualmente que Theresa poderia cometer homicídio a sangue-frio...

"Fazem bom juízo uns dos outros! O dr. Tanios pensa, ou *diz* pensar, que houve alguma influência indevida na decisão da velha. Sua mulher, antes de ele chegar, evidentemente *não* pensava assim. Inicialmente não quer contestar o testamento. Em seguida, volta atrás. Repare, Hastings, é como uma panela fervendo, em cuja superfície sobe, de vez em quando, um dado significativo. Há qualquer coisa lá no fundo. Juro, pela honra de Hercule Poirot. Juro!"

Senti-me impressionado pela sua convicção, apesar do meu ceticismo.

—Talvez você tenha razão — murmurei. — Mas tudo parece tão vago...

— No entanto você concorda que há qualquer coisa?

Hesitei antes de responder:

— Sim, creio que sim.

Poirot inclinou-se sobre a mesa, e seus olhos foram de encontro aos meus, como se quisessem penetrá-los.

— Sim... você está mudado. Já não se mostra divertido, superior, indulgente para com meus prazeres acadêmicos. Mas o que o convenceu? Não é o meu excelente raciocínio... *non, ce n'est pas ça!* Mas *alguma coisa,* algo muito independente, produziu-lhe este efeito. Diga-me, meu amigo, o que tão repentinamente o induziu a levar isto tão a sério?

—Acho — disse lentamente — que foi a sra. Tanios. Ela parecia... parecia... temerosa...

— Com medo de mim?

— Não, não. Não de você. Era outra coisa. Para começar, falou de modo sereno e sensato, mostrando um certo ressentimento compreensível e justo pelos termos do testamento. Contudo, de outro lado parecia resignada e disposta a deixar as coisas como estão. É uma atitude natural numa mulher bem-educada, mas muito apática. Mas não me pareceu natural nem lógica a mudança que se operou nela de repente. A avidez com que passou a concordar com o marido, a maneira quase furtiva com que nos procurou, no hall...

Poirot acenou com a cabeça, encorajando-me, o que me fez prosseguir:

— E há mais uma coisa, que, talvez, você não tenha reparado...
— Eu reparo tudo!
— Refiro-me à visita do marido, naquele último domingo, a Littlegreen House. Eu seria capaz de jurar que ela não sabia de nada, e que para ela tudo foi uma surpresa. Mas causa-me espanto a facilidade com que pegou a deixa, a rapidez com que concordou que ele contara tudo a ela, e ela se esquecera. Tudo isto, Poirot, não me agrada...
— Você tem razão, Hastings. Esta atitude é muito significativa.
— Deixou-me uma desagradável impressão de... de medo.
Poirot balançou a cabeça vagarosamente.
— Sentiu o mesmo? — perguntei.
— Sim... a impressão estava no ar. — Poirot fez uma pausa e prosseguiu: — Mas, ainda assim, você gostou do Tanios, não? Pareceu um homem agradável, franco, afável, cordial... Ou seja, atraente, apesar dos seus preconceitos britânicos contra os argentinos, portugueses e gregos... não é verdade?
— Sim, é verdade.
Passou-se um momento de silêncio, que aproveitei para observar meu amigo.
— Em que está pensando, Poirot? — perguntei, a seguir.
— Em várias pessoas: no simpático e jovem Norman Gale, na franca e cordial Evelyn Howard, no amável dr. Sheppard, no sereno Knighton...
Durante alguns minutos não compreendi as referências a pessoas envolvidas em casos passados.
— Que têm eles?
— Eram todos personagens encantadores...
— Meu Deus, Poirot! Então você realmente acha que Tanios...
— Não, não! Não tire conclusões precipitadas, Hastings. Queria apenas demonstrar que nossas reações pessoais merecem pouca confiança. Temos de nos guiar por fatos, e não por sentimentos.

— Hummm — resmunguei. — Os fatos não são o nosso forte... Não, não comece tudo de novo, Poirot!

— Serei breve, meu amigo. Não tenha medo. Para começar, é quase certo que temos um caso de tentativa de homicídio. Isto você admite?

— Admito.

Até aquele ponto, sentira-me um tanto cético quanto à fantasiosa reconstituição feita por Poirot dos acontecimentos da terça-feira seguinte à Páscoa. Tinha, entretanto, de concordar que suas deduções eram absolutamente lógicas.

— *Très bien*. Ora, como não pode haver tentativa de homicídio sem assassino, concordemos que uma das pessoas presentes naquela noite era um assassino intencional, se não simplesmente assassino.

— Concordo.

— Então, nosso ponto de partida é o seguinte: um assassino. Fizemos juntos algumas investigações... remexemos na lama, como dizem vocês... e que conseguimos? Várias acusações interessantes, feitas com aparente casualidade, durante aquelas conversas.

— Acha que não eram casuais?

— Não posso dizer agora! O modo da srta. Lawson nos informar que Charles ameaçara a tia pode ter sido ou não sinceramente inocente; as observações do dr. Tanios sobre Theresa Arundell também podem ter sido feitas sem malícia, traduzindo apenas a opinião do médico que é. Quanto à srta. Peabody, é provável que suas afirmações a respeito das tendências de Charles sejam inteiramente genuínas, embora não passem, afinal de contas, da sua opinião. E assim por diante. Costuma-se dizer que há uma agulha no palheiro, não? Pois bem, a nossa agulha é o assassino.

— Gostaria de saber mesmo é a sua opinião.

— Hastings, Hastings. Eu não me permito *pensar*. Pelo menos no sentido em que se emprega a palavra, ou seja, achar. No momento entrego-me apenas a certas reflexões.

— Por exemplo?

— Reflito acerca do detalhe do *motivo*. Quais são os motivos prováveis no caso da morte da srta. Arundell? O mais evidente, por certo, é o *ganho*. Quem ficaria com o dinheiro se a morte da srta. Arundell... tivesse sido na noite de terça-feira depois da Páscoa?

— Todos, exceto a srta. Lawson.

— Exatamente.

— Bem, pelo menos uma pessoa está automaticamente excluída.

— É o que parece — concordou Poirot, pensativo. — O interessante, porém, é que a pessoa que nada ganharia se a morte ocorresse na terça-feira, ganhou tudo por ela ter-se dado duas semanas depois.

— Aonde você quer chegar?

— Causa e efeito, meu amigo! Causa e efeito.

Observei-o, duvidoso.

— Usemos a lógica. Que aconteceu, ao certo, após o acidente?

Poirot me irrita quando se comporta desta maneira. Mas não se pode dizer que esteja errado!

— A srta. Arundell caiu de cama.

— Exatamente. E teve muito tempo para pensar. E em seguida?

— Escreveu-lhe.

— Sim. Escreveu-me e a carta não foi enviada, o que é lastimável.

— Tem alguma suspeita sobre o fato de a carta não ter sido expedida?

— Devo confessar que não sei, Hastings. Creio... estou até quase convencido, à luz dos fatos... que houve esquecimento, e suponho, mas não tenho certeza, que alguém suspeitou de que tal carta foi escrita. Mas vamos lá: o que aconteceu a seguir?

Refleti um pouco.

— A visita do advogado... — sugeri.

— Sim, ela chamou o advogado e no devido tempo ele chegou.

— E ela fez um novo testamento.

— Exatamente. Fez um novo e muito inesperado testamento. Agora, em vista disto, temos de considerar muito cuidadosamente uma afirmação de Ellen. Ela disse, se você se recorda, que a srta. Lawson estava particularmente interessada em esconder da srta. Arundell o fato de Bob ter passado a noite na rua.

— Mas... oh, compreendo... não, não... ou será que estou indo ao ponto onde você...

— Duvido! — disse Poirot. — Mas se estiver, espero que imagine a *suprema importância* desta declaração!

O detetive lançou-me um olhar ferino.

— Claro, claro — declarei, apressado.

— E assim — continuou Poirot — várias outras coisas aconteceram. Charles e Theresa vêm para o fim de semana, e a srta. Arundell mostra a Charles o novo testamento, segundo ele disse.

— Acredita nele?

— Só acredito em declarações *comprovadas*. Mas a srta. Arundell não o mostra a Theresa.

— Porque pensou que Charles lhe diria.

— Mas ele não diz. E por quê?

— De acordo com Charles, ele contou a ela.

— Theresa disse positivamente que não. Eis aqui uma contradição sugestiva e interessante. E quando saímos, ela o chama de idiota.

— Estou ficando confuso, Poirot — disse-lhe eu.

— Voltemos à sequência dos acontecimentos. O dr. Tanios visitou a srta. Emily Arundell no domingo, possivelmente sem o conhecimento da mulher.

— Eu diria que certamente sem o seu conhecimento.

— Digamos *provavelmente,* para continuar. Theresa e Charles partem na segunda-feira. A srta. Arundell está bem de saúde e da mente. Come bem no jantar e senta-se no escuro com as Tripp e a srta. Lawson. Durante a sessão, sente-se mal. Vai para a cama e morre quatro dias depois, e a srta. Lawson herda todo o dinheiro, e o Capitão Hastings diz que ela teve morte natural!

— Ao passo que Hercule Poirot diz que ela foi envenenada naquele jantar, sem ter qualquer prova!

— Mas eu tenho algumas provas, Hastings! Pense na nossa conversa com as senhoritas Tripp. E também numa declaração da srta. Lawson.

— Está se referindo ao fato de ter comido caril? Isto disfarçaria o gosto do veneno. É aonde quer chegar?

Poirot falou lentamente:

— Sim, o caril tem certa importância, talvez.

— Contudo — disse eu — se o que você adianta, em desafio à opinião médica, é verdade, somente a srta. Lawson ou uma das empregadas poderia tê-la matado.

— Imagino.

— Ou as irmãs Tripp? Não faz sentido. Não creio. Todos são palpavelmente inocentes.

Poirot encolheu os ombros.

— Lembre-se, Hastings, que a estupidez, ou mesmo a idiotice, pode andar de mãos dadas com a astúcia. E não esqueça, peço-lhe, da primeira tentativa de assassinato: esta não foi obra de um cérebro particularmente inteligente. Seria um assassinato muito simples, sugerido por Bob com seu costume de deixar a bola no alto da escada. A ideia de colocar um fio é simples. Até uma criança poderia tê-la.

Estremeci.

— Quer dizer...

— Quero dizer que tentamos achar apenas uma coisa: o desejo de matar, nada mais.

— Mas o veneno teria de ser muito bem escolhido para não deixar vestígios — contrapus. — Algo que seria difícil a qualquer um conseguir. Bolas, Poirot! Não posso acreditar nisto! Você não pode *saber*. Tudo são hipóteses.

— Engano seu, meu amigo. Como resultado de nossas várias conversas desta manhã, já tenho algo bem definido. Umas pistas tênues, mas inconfundíveis. O mal é que... tenho medo.

— Medo? Medo de quê?

— De perturbar os cães que dormem. Não é um dos seus provérbios? Deixe os cães dormirem em paz. É o que o assassino faz neste momento: dorme tranquilamente ao sol... E bem sabemos, Hastings, que uma vez perturbada a tranquilidade de um assassino, ele mata outra vez e até uma terceira!
— Teme que tal aconteça?
— Sim. Se há um assassino no palheiro... Hastings, e acho que há...

XIX

Visita ao sr. Purvis

POIROT PEDIU a conta e pagou.

— Que fazemos agora? — perguntei.

— Faremos o que sugeriu logo cedo. Vamos a Harchester ver o sr. Purvis. Foi por isso que telefonei do Durham Hotel.

— Telefonou para Purvis?

— Não, para Theresa Arundell. Pedi-lhe que escrevesse uma recomendação a ele. Para o abordarmos com alguma chance de êxito temos de ser recomendados pela família. Ela prometeu mandá-la ao meu apartamento por um portador. Deve estar esperando por nós agora.

Encontramos não só a carta como o próprio Charles Arundell.

— Tem uma boa casa, Monsieur Poirot — comentou, olhando em torno.

Acompanhando o seu olhar, notei que uma das gavetas da escrivaninha estava mal fechada. Aparecia uma ponta de papel. Se havia algo impossível de acontecer, era Poirot fechar mal uma gaveta. Observei Charles, pensativo. Ficara ali sozinho, e não me repugnava acreditar que ele aproveitara para remexer os papéis do meu amigo. Que espertalhão! Senti que fervia de indignação.

Charles mostrava-se muito afável.

— Está aqui — disse, apresentando a carta. — Tudo direitinho. Espero que tenha mais sorte do que nós com o velho Purvis.

— Deu-lhes poucas esperanças, suponho?

— Foi definitivamente desencorajador. Entende que Minnie Lawson está garantida.

— O senhor e sua irmã jamais consideraram a ideia de apelar para os sentimentos da sra. Lawson?

— Eu considerei. Mas pareceu que não adiantaria nada. Minha eloquência seria inútil. O quadro patético da ovelha negra deserdada não motivaria aquela mulher. O senhor sabe, ela decididamente não gosta de mim. E não sei por quê. — Charles deu uma gargalhada. — A maioria das velhas cai por mim facilmente. Acham que nunca fui devidamente compreendido e nunca tive uma chance!

— Um ponto de vista muito útil.

— Oh, tem sido da maior utilidade! Mas com a srta. Lawson, nada feito. Creio que é anti-homem. Quem sabe se nos bons tempos de antes da guerra não se acorrentava e empunhava uma bandeira de sufragista?

— Bem... — murmurou Poirot balançando a cabeça. — Se os métodos simples falham...

— Temos de partir para o crime! — sentenciou Charles.

— Por falar em crime — comentou Poirot — é verdade que ameaçou a sua tia, dizendo que *iria tratar da saúde dela,* ou coisa parecida?

Charles sentou-se numa cadeira, estendeu as pernas e olhou fixamente para o meu amigo.

— Quem lhe disse isto?

— Não importa. É verdade?

— Bem, há certos elementos de verdade.

— Vamos, vamos, conte-me a história... A história *verdadeira*.

— Oh, com prazer, senhor. Não há nada de melodramático. Estava tentando uma abordagem, se é que me entende.

— Compreendo.

— Bem, as coisas não correram conforme planejara. Tia Emily deu-me a entender que seriam vãos meus esforços para separá-la do seu dinheiro! Bem, não perdi a calma, mas disse-lhe por inteiro: "Agora escute, tia Emily. Se continuar agindo assim, arrisca-se a que lhe cuidem da saúde." Ela me perguntou o que queria dizer. Respondi que era apenas o que dissera. "Os seus amigos e parentes andam à sua volta, de boca aberta, pobres como ratos de igreja, todos à espera. E que faz a tia? Recusa-se a repartir. É por isso que morre gente assassinada. Acredite-me, se lhe tratarem da saúde, a culpa será toda sua."

Charles prosseguiu:

— A velha olhou-me por cima dos óculos, como costumava, e perguntou-me secamente se esta era a minha opinião. Respondi-lhe que sim, que, para o seu próprio bem, aconselhava-a a abrir um pouco os cordões da bolsa. Ela disse: "Obrigado pelo conselho, Charles, mas verá que sei muito bem cuidar de mim." Disse-lhe que, então, seria como quisesse. Mas fiz tudo sorrindo, e não creio que ela tivesse ficado tão zangada quanto demonstrava. "Depois não diga que não avisei" — insisti. "Fique tranquilo."

Fez uma pausa e concluiu:

— E pronto.

— E assim — disse Poirot — você contentou-se com umas notas de libra que encontrou na gaveta.

Charles postou-se diante de Poirot e soltou uma gargalhada.

— Tiro-lhe o meu chapéu! O senhor tem realmente um bom faro. Como descobriu isto?

— Então é verdade?

— Bem verdade. Eu estava sem tostão. Tinha de arranjar dinheiro em algum lugar. Encontrei um maço de notas na gaveta e servi-me de algumas. Mas fui modesto, a fim de que minha pequena subtração não fosse notada. Ou que a atribuíssem aos empregados.

Poirot disse secamente:

— Seria muito ruim para as empregadas se isto acontecesse.

— Cada um por si — murmurou Charles, dando de ombros.

— E quem estiver atrás que feche a porta — completou Poirot.

— Não sabia que a velha tinha descoberto... Como soube disso? Refiro-me à conversa sobre cuidar da saúde dela...

— A srta. Lawson me contou.

— Gata malandra! — Charles pareceu um pouco perturbado. — Não gosta de mim nem de Theresa. Não me diga que ela ainda tem alguma coisa escondida na manga.

— O que poderia ter?

— Não sei. Ela parece o demônio! Odeia Theresa.

— Sabia, sr. Arundell, que o dr. Tanios foi ver sua tia no domingo que antecedeu sua morte?

— O quê? No domingo em que estivemos lá?

— Sim. Mas não o viu?

— Não. Talvez tivesse chegado enquanto passeávamos, à tarde. Mas é estranho que tia Emily não tivesse falado nada. Quem lhe disse?

— A srta. Lawson.

— Lawson novamente? Ela parece uma mina de informações.

Fez uma pausa e prosseguiu:

— Sabe, Tanios é um bom sujeito. Gosto dele, sempre bem disposto e sorridente!

— Simpático, sem dúvida — concordou Poirot.

Charles levantou-se.

— Se fosse ele, teria matado aquela coruja da Bella há muito tempo. Não lhe parece o tipo de mulher que nasceu para ser vítima? Sabe, não me espantaria se aparecesse esquartejada em uma mala!

— Não é uma boa ação para se atribuir ao bom doutor — repreendeu-o Poirot.

— Não — concordou Charles, pensativo. — E não creio que Tanios poderia matar uma mosca. É bondoso demais.

— E o senhor? Mataria se valesse a pena?

Charles soltou uma gargalhada vibrante, sincera.

— Pensando em chantagem, não é, Poirot? Nada feito. Eu lhe asseguro, não botei... — interrompeu-se de súbito e prosseguiu: — estricnina na sopa de tia Emily.

E, acenando, retirou-se.

—Você queria assustá-lo, Poirot? — perguntei. — Se queria, não creio que tenha conseguido. Não reagiu como se tivesse qualquer sentimento de culpa.

— Não?

— Não. Pareceu-me imperturbável.

— Curiosa foi aquela pausa...
— Que pausa?
— Antes da palavra estricnina. Parecia que ia dizer outra coisa e se arrependeu.
— Com certeza pensou num bom veneno.
— É possível, é possível. Mas vamos sair. Acho que teremos de passar a noite no George, em Market Basing.

Em dez minutos, atravessamos Londres correndo, em direção ao campo.

Chegamos a Harchester por volta das quatro da tarde, e fomos logo ao escritório de Purvis, Purvis, Charlesworth & Purvis.

O sr. Purvis era um homem alto e forte, de cabelos brancos e rosto avermelhado. Tinha a leve aparência de um escudeiro do campo. Era cortês, mas reservado. Leu a carta que lhe apresentamos e observou-nos de sua mesa, com um olhar penetrante e inquisitivo.

— Conheço-o de nome, Monsieur Poirot — disse delicadamente. — Creio que a srta. Arundell e seu irmão o contrataram, mas não consigo compreender onde seus serviços lhes serão úteis.

— Digamos, sr. Purvis, que pretendo fazer uma investigação completa de todas as circunstâncias.

— A srta. Arundell e seu irmão já sabem o que penso sobre a situação, do ponto de vista legal. As circunstâncias são bastante claras e não admitem qualquer má interpretação — disse Purvis, secamente.

— Estou inteiramente de acordo — disse rapidamente Poirot. — Mas creio que o senhor não objetará repeti-las, apenas para que eu tenha um quadro geral da situação.

O advogado balançou a cabeça.

— Estou às ordens.

— Suponho que a srta. Arundell lhe escreveu, dando-lhe instruções, a 17 de abril.

O sr. Purvis consultou alguns papéis à sua frente.

— Exatamente.

— Pode-me dizer o que ela dizia?

— Pediu-me para redigir um testamento. Deixava legados às criadas e a três ou quatro obras de caridade, revertendo o resto da fortuna para Wilhelmina Lawson.

— Perdoe-me a pergunta, sr. Purvis, mas ficou surpreso?

— Sim, tenho de admitir que sim.

— A srta. Arundell fizera outro testamento, anteriormente?

— Sim, há cerca de cinco anos.

— E nesse testamento, à exceção de alguns legados, deixava tudo ao sobrinho e às sobrinhas?

— O grosso de sua fortuna seria repartido igualmente entre os filhos de seu irmão Thomas e a filha de Arabella Biggs, sua irmã.

— O que aconteceu a esse testamento?

— Levei-o comigo, a pedido da srta. Arundell, quando, no dia 21 de abril, visitei-a na Littlegreen House.

— Ficar-lhe-ia imensamente grato, sr. Purvis, se pudesse dar-me uma descrição completa de tudo o que aconteceu naquela ocasião.

O advogado pensou por um ou dois minutos, e disse, com exatidão:

— Cheguei às três da tarde, acompanhado de um dos meus empregados. A srta. Arundell recebeu-me na sala.

— Como a achou?

— Pareceu-me bem de saúde, apesar de usar uma bengala. Isto se devia, creio, à queda que tivera recentemente. Mas seu estado geral era bom. Achei-a, porém, um tanto nervosa e excitada.

— A srta. Lawson estava com ela?

— Sim, quando cheguei. Mas saiu imediatamente.

— E depois?

— A srta. Arundell perguntou-me se fizera o que recomendara e se trazia o novo testamento para que ela o assinasse. Eu lhe disse que sim. Eu... — hesitou um pouco, mas prosseguiu — devo acrescentar que, até onde me era lícito, admoestei a srta. Arundell e afirmei-lhe que o seu novo testamento poderia ser considerado muito injusto para com sua família. Eram, afinal, pessoas do seu sangue e da sua carne.

— E ela?

— Perguntou-me se o dinheiro era ou não seu, e se não podia dele dispor como quisesse. Respondi-lhe que sim, claro. "Muito bem", disse-me ela. Lembrei-lhe que conhecia a srta. Lawson há muito pouco tempo, e perguntei-lhe se tinha certeza de que seus parentes mereciam tamanha injustiça. "Meu caro amigo", respondeu-me, "sei perfeitamente o que estou fazendo".

— Estava excitada?

— Creio poder afirmar que sim, mas saiba, Monsieur Poirot, que estava na plena posse de suas faculdades mentais e, na exata acepção da palavra, apta a tratar dos seus assuntos. Embora todas as minhas simpatias estejam para a família da srta. Arundell, considerar-me-ia obrigado a repetir isto em qualquer tribunal.

— Compreendo bem. Rogo-lhe que continue.

— A srta. Arundell leu atentamente o testamento anterior, e em seguida estendeu a mão para o que eu lhe trouxera. Confesso que preferiria apresentar-lhe primeiro um rascunho, mas ela insistira em que o levasse pronto para assinar. Isto, aliás, foi fácil, pois as disposições eram simples. Leu o novo documento, acenou afirmativamente e declarou que o assinaria logo. Considerei-me no dever de fazer um último protesto, mas, embora não me ouvisse com muita paciência, disse-me que já estava decidida. Chamei meu empregado para testemunhar, bem como o jardineiro da casa. As empregadas não puderam fazê-lo, por serem beneficiárias.

— E em seguida encarregou-o de guardá-lo?

— Não. Colocou-o numa gaveta da escrivaninha e fechou-a.

— E o primeiro testamento? Destruiu-o?

— Não. Guardou-o com o outro.

— Após o falecimento, onde foi encontrado o testamento?

— Nessa mesma gaveta. Como testamenteiro, eu possuía a chave, e nessa qualidade revistei todos os seus papéis.

— Estavam ambos os testamentos na gaveta?

— Sim. Exatamente como os colocara.

— Perguntou-lhe dos motivos da sua surpreendente decisão?

— Sim, mas não tive uma resposta satisfatória. Limitou-se a me garantir que sabia o que estava fazendo.

— No entanto, o senhor ficou surpreendido?

— Muito surpreendido. A srta. Arundell sempre demonstrara espírito familiar.

— Suponho que não teve nenhuma conversa com a srta. Lawson a respeito disto.

— Certamente não. Tal procedimento seria altamente impróprio.

A sugestão pareceu escandalizar o sr. Purvis.

— Será que a srta. Arundell disse alguma coisa que indicasse à srta. Lawson que fora favorecida?

— Ao contrário. Perguntei se a srta. Lawson sabia o que estava sendo feito. A srta. Arundell disse-me que ela ignorava tudo. Achei aconselhável que continuasse assim e insinuei isto à srta. Arundell, que compartilhou da minha opinião.

— Por que teve esse cuidado, sr. Purvis?

O advogado lançou-lhe um olhar de dignidade.

— Tais coisas, na minha opinião, não devem ser discutidas. Além disso, provocaria uma futura decepção.

— Ah! — Poirot respirou fundo. — *Achou provável que a srta. Arundell mudaria de ideia num futuro próximo!*

— Exatamente. Imaginei que a srta. Arundell tivera qualquer aborrecimento com a família. Tinha esperanças de que, quando se acalmasse, reconsideraria e se arrependeria de sua precipitada decisão.

— E nesse caso, faria... o quê?

— Dar-me-ia instruções para que preparasse um novo testamento.

— Mas ela poderia simplesmente destruir o mais recente.

— Este ponto é discutível. Como se sabe, ao fazer novo testamento, o testador anula todos os anteriores.

— Mas a srta. Arundell talvez não soubesse deste detalhe. Naturalmente pensaria que, destruindo o mais recente, o antigo vigoraria.

— É possível.

— Se morresse sem deixar testamento, o dinheiro ficaria com a família?

— Sim. Metade para a sra. Tanios, metade para ser dividida entre Charles e Theresa Arundell. Contudo, a verdade é que não mudou de opinião e que morreu sem anular o último testamento.

— É aqui, exatamente, que entro eu — declarou Poirot.

O velho advogado lançou-lhe um olhar interrogativo.

Poirot inclinou-se para a frente.

— Suponhamos — disse — que a srta. Arundell, no seu leito de morte, *desejou destruir* o *testamento;* suponhamos que acreditou tê-lo destruído, mas que, na realidade, destruiu apenas o *primeiro...*

— Não. *Ambos os testamentos estavam intactos.*

— Suponhamos então que tenha destruído um *testamento falso,* convencida de que era verdadeiro. Lembre-se de que ela estava muito doente e seria fácil iludi-la.

— Teria de ter provas de que aconteceu assim.

— Oh! Sem dúvida. Sem dúvida!

— Posso perguntar-lhe se tem alguma razão para crer que isto tenha ocorrido?

Poirot reclinou-se um pouco.

— Não devo comprometer-me a essa altura...

— Naturalmente, naturalmente — disse o sr. Purvis, concordando com uma frase que lhe era familiar.

— Posso dizer-lhe, entretanto, e confidencialmente, que há neste caso detalhes muito curiosos!

— Sim?

O sr. Purvis esfregou as mãos, como se antecipasse o prazer.

— O que eu precisava do senhor, e consegui — continuou Poirot — era a sua opinião sobre a possibilidade de, mais cedo ou mais tarde, a srta. Arundell mudar de ideia, beneficiando a família.

— Mas isto é apenas a minha impressão pessoal, claro — destacou o advogado.

— Compreendo, meu caro senhor. O senhor, acredito, não é procurador da srta. Lawson?

— Recomendei à srta. Lawson que consultasse um advogado independente.

Poirot estendeu-lhe a mão, agradecendo-lhe pela cortesia e pelas informações prestadas.

XX

A segunda visita à Littlegreen House

A CAMINHO DE HARCHESTER para Market Basing, questão de dez milhas, discutimos a situação.

— Tem você alguma base, Poirot, para a hipótese que formulou?

— Se a srta. Arundell poderia ter acreditado que aquele testamento foi destruído? Não, *mon ami*... francamente não. Mas eu queria, como você compreenderá, sugerir alguma coisa! O sr. Purvis é um homem esperto, e se me calasse seria capaz de perguntar a si mesmo qual o meu interesse no caso.

— Sabe o que você me recorda, Poirot?

— Não, *mon ami*.

— Um malabarista, trabalhando com várias bolas diferentes.

— As bolas de cores diferentes são as várias mentiras que invento, não é?

— Mais ou menos.

— E, qualquer dia, todas elas vão cair?

— Não poderá conservá-las no ar eternamente.

— Tem razão. Haverá um dia em que apanharei todas as bolas no ar, curvar-me-ei para a plateia e deixarei o palco.

— Ao som de estrondosos aplausos...

Poirot observou-me, desconfiado.

— É muito possível.

— Não obtivemos muito do sr. Purvis — comentei, afastando-me do ponto perigoso.

— Não. Apenas confirmou nossa ideia geral.

— E também a afirmação da srta. Lawson de que nada sabia do testamento.

— Não acho que tenha confirmado isto.

— Purvis aconselhou a srta. Arundell a não comentar nada, e ela concordou.

— Sim, isto está certo. Mas há gazuas, meu amigo, e gazuas que abrem gavetas trancadas.

— Acha realmente que a srta. Lawson seria capaz de escutar atrás das portas e remexer gavetas?

Poirot sorriu.

— A srta. Lawson não é nenhuma santa, *mon cher*. Sabemos que já escutou uma conversa que não era destinada aos seus ouvidos... aquela entre Charles e sua tia.

Admiti a veracidade do que dissera.

— Portanto, Hastings, nada nos garante que também não tenha ouvido parte da conversa entre a srta. Arundell e o sr. Purvis. Este, por sinal, tem uma voz muito ressonante. Quanto à bisbilhotice, há mais gente bisbilhoteira do que você supõe. As pessoas tímidas e assustadas como a srta. Lawson adquirem frequentemente hábitos menos recomendáveis, que para elas acabam sendo uma certa consolação.

— Francamente, Poirot! — protestei.

Balançou a cabeça várias vezes.

— Mas é assim mesmo!

Reservamos dois apartamentos no George e depois rumamos para a Littlegreen House.

Ao tocarmos a campainha, Bob imediatamente respondeu. Dardejando pelo hall, latindo furiosamente, atirou-se contra a porta principal.

"Como-lhe o fígado e os olhos", rosnou. "Estraçalho você de ponta a ponta! Mostro-lhe que ninguém entra nesta casa! Espere até eu lhe pôr os dentes!"

Uma voz tranquilizadora juntou-se à barulhada:

— Calma, calma! Venha cá, seja um cachorro bonzinho!

Bob, arrastado pela coleira, foi deixado na saleta, contra a vontade.

"Desmancha prazeres!", rosnou. "Há tanto tempo não assustava ninguém! Estou louco para pegar as pernas de umas calças!"

A porta da sala fechou-se e Ellen levantou trancas e ferrolhos para abrir a principal.

— Ah, é o senhor — exclamou.

Abriu-nos a porta, com uma expressão de alegria.

— Entre, por favor.

Entramos no hall. Da porta da esquerda vinham latidos inquietos, enquanto Bob tentava nos identificar.

— Pode deixá-lo sair — sugeri.

— Abro-lhe a porta já, senhor. Não faz mal a ninguém, mas assusta as pessoas com os latidos. É um bom guarda.

Abriu a porta, e Bob irrompeu como uma bala de canhão.

"Quem é? Quem está aí? Ah, aí estão vocês. Minha nossa, acho que não me lembro..." Farejou, farejou, e deve ter-se dito, com um rosnar prolongado: "Claro! Já nos conhecemos!"

— Olá, meu velho! — cumprimentei. — Como vai?

Bob abanou a cauda, bem-educado.

"Bem, obrigado. Deixe-me ver..." Prosseguiu na sua pesquisa: "Deve ter falado com um *spaniel,* pelo cheiro. São uns tolos. O que é isto? Um gato? Interessante... seria bom ter um por aqui... Há poucas diversões, aqui em casa... Hum... e também um *bull--terrier...*"

Depois de diagnosticar corretamente uma visita que não havia muito tempo eu fizera a amigos que tinham cães, dedicou sua atenção a Poirot. A roupa, entretanto, cheirava a benzina, e ficou ofendido.

— Bob — chamei-o.

"Sei o que estou fazendo. Não demoro."

— A casa está fechada, espero que perdoem... — murmurou Ellen, entrando na salinha e começando a abrir as janelas de madeira.

— Não se incomode, está bem assim — comentou o meu amigo, entrando atrás dela e sentando-se. Estava para imitá-lo quando surgiu Bob, vindo não sei de onde, com a bola na boca. Subiu a escada como um foguete, e deitou-se no patamar, com a bola entre as patas, agitando vagarosamente a cauda.

"Vamos" — desafiou-me. "Vamos a um joguinho." Esqueci-me momentaneamente dos meus interesses sherloquianos. Jogamos por algum tempo, mas eu, sentindo-me culpado, voltei à sala.

Poirot e Ellen pareciam ter mergulhado numa conversa sobre doenças e remédios.

— Só costumava tomar umas pilulazinhas brancas. Duas ou três após cada refeição, conforme orientação do dr. Grainger. Sob este aspecto a senhora era muito obediente. Havia também uma drágea qualquer sobre a qual a srta. Lawson dizia maravilhas, as pílulas do dr. Loughbarrow, para o fígado. Há anúncios por toda parte.

— A srta. Arundell também as tomava?

— Tomava. A srta. Lawson comprou-as para ela da primeira vez, e a senhora achava que lhe faziam bem.

— O dr. Grainger sabia?

— Sabia, mas não se importava. "Pode tomar, se acha que lhe fazem bem" — dizia ele. E ela respondia: "Bem, pode rir, mas fique sabendo que ajudam muito mais do que os seus remédios." O médico ria e afirmava que a fé era o melhor remédio que até hoje se inventou.

— A srta. Arundell não tomava outros remédios?

— Não, senhor. O marido de dona Bella, o doutor estrangeiro, trouxe-lhe um frasco de qualquer coisa, mas embora ela lhe agradecesse delicadamente, jogou tudo fora. Eu vi. E acho que fez bem: é preciso ter cuidado com essas coisas estrangeiras.

— A sra. Tanios a viu jogando fora o remédio, não?

— Sim, e acho que ficou magoada. Lamentei, também, pois não há dúvida de que ele estava na melhor das intenções.

— Sem dúvida. Suponho que os remédios que ficaram na casa foram postos fora depois da morte da srta. Arundell, não?

Ellen pareceu um tanto surpreendida pela pergunta.

— Oh, sim, senhor. A enfermeira jogou fora alguns, e a srta. Lawson livrou-se dos remédios velhos que estavam no armário do banheiro.

— Era ali que guardavam as... como é mesmo?... as pílulas do dr. Loughbarrow?

— Não, essas ficavam na cantoneira da sala de jantar, para estarem à mão após as refeições.

— Que enfermeira atendeu a srta. Arundell? Pode dar-me o seu nome e endereço?

Ellen atendeu-o prontamente.

Poirot prosseguiu com as perguntas sobre a última doença da srta. Arundell.

Ellen dava-lhe todos os detalhes com prazer, descrevendo o enjoo, a dor, o ataque de icterícia e o delírio final. Não sei se Poirot ficou satisfeito, mas ouviu pacientemente. Vez por outra fazia uma perguntinha pertinente, quase sempre sobre a srta. Lawson e o tempo que passava no quarto da doente. Mostrou-se também extremamente interessado na dieta administrada à senhora, comparando-a com a administrada a algum parente seu falecido e... inexistente.

Vendo-os tão entretidos, esgueirei-me de novo para o hall. Bob adormecera, com a bola sob o focinho.

Assoviei-lhe e ele acordou, alerta. Desta vez, porém, parecia ter sua dignidade ofendida, e demorou a jogar-me a bola, pegando-a de volta no último minuto.

"Decepcionado, hein"? — parecia perguntar, malicioso. "Talvez eu resolva jogá-la agora... ou não?"

Ao voltar à sala, vi que Poirot falava na visita de surpresa que o dr. Tanios fizera à tia da mulher no domingo anterior à morte da srta. Arundell.

— É verdade, sim, senhor. O sr. Charles e a srta. Theresa tinham ido dar um passeio, e não esperávamos o dr. Tanios. A senhora descansava e ficou muito surpreendida quando lhe disse que ele estava aqui. "O dr. Tanios?" perguntou. "A sra. Tanios vem com ele?" Respondi-lhe negativamente, e a srta. Arundell mandou-me informá-lo de que desceria logo.

— Ele se demorou?

— Não ficou mais de uma hora. E não parecia muito contente ao sair.

—Tem alguma ideia da... da razão da sua visita?

— Não poderia dizer que faço.

— Não ouviu nada, por acaso?

Ellen ficou vermelha.

— Não, senhor, não ouvi! Não tenho o costume de escutar atrás das portas, embora certas pessoas de educação o fizessem!

— Oh, compreendeu-me mal — desculpou-se Poirot. — Apenas me ocorreu que tivesse servido chá, enquanto ele estava aqui, e não pudera evitar ouvir alguma coisa.

Ellen apaziguou-se.

— Sinto muito, senhor. Eu o entendi mal. Não, o dr. Tanios não ficou para o chá.

Poirot observou-a e piscou os olhos.

— E se eu precisasse saber para que veio ele aqui, é possível que a srta. Lawson saiba?

— Se ela não souber, ninguém mais saberá — disse Ellen, com desdém.

— Então vejamos... — murmurou Poirot franzindo a testa, como se fizesse um esforço de memória — o quarto da srta. Lawson era ao lado do da srta. Arundell?

— Não, senhor. O quarto da srta. Lawson fica bem no alto da escada. Posso mostrar-lhe, senhor.

Poirot aceitou o oferecimento e subiu a escada encostado à parede. Ao chegar ao patamar, soltou uma exclamação, abaixou-se e pôs a mão numa perna das calças.

— Ah, puxou um fio. Há um prego no rodapé.

—Também já reparei, e até já me pegou o vestido uma ou duas vezes. Deve ter-se soltado, ou coisa parecida.

— Está aí há muito tempo?

— Bem, creio que há algum tempo, senhor. Dei com ele pela primeira vez quando a senhora adoeceu, depois do acidente. Tentei arrancá-lo, mas não consegui.

— Deve ter tido um fio amarrado, creio eu.

— Exatamente, senhor. Havia uma laçada de fio nele. Não sei para quê.

Na voz de Ellen, entretanto, não havia a menor ponta de desconfiança. Para ela, o prego era apenas uma dessas coisas que acontecem em casa e que não têm explicação.

Poirot entrara no quarto. Seu tamanho era moderado, com duas janelas de frente. Num canto havia uma penteadeira e, entre as janelas, um guarda-vestidos de espelho alto. A cama ficava à direita, atrás da porta e de frente para as janelas. Na parede da esquerda havia um camiseiro de mogno e um lavatório de tampo de mármore.

Poirot olhou em torno, pensativo, e voltou ao patamar. Percorreu o corredor, passando por dois outros quartos, e chegou aos aposentos de Emily Arundell.

— A enfermeira ficava no quartinho ao lado — explicou Ellen.

Ao descermos a escada, Poirot perguntou se poderia dar uma volta pelo jardim.

— Oh, certamente, está lindo, agora!

— O jardineiro ainda trabalha aqui?

— Oh, sim, Angus continua. A srta. Lawson quer tudo arrumado, pois acha que será mais fácil vender a casa assim.

— Não deixa de ter razão. Não é boa política deixar as ervas invadirem uma casa que se quer vender.

O jardim era realmente belo, com grandes canteiros laterais cheios de bocas-de-lobo, esporas e enormes papoulas escarlates. As petúnias estavam em botão. Logo em seguida chegamos a um alpendre onde um velhinho alto e rijo colocava plantas nos vasos. Cumprimentou-nos respeitosamente e Poirot logo inventou um jeito de estabelecer conversa.

Bastou dizer que víramos Charles naquele dia para o gelo se quebrar e o velhote ficar tagarela.

— Foi sempre de amargar! Lembro-me dele quando fugia para cá com meia torta de groselha, enquanto a cozinheira procurava por toda a casa! E voltava para casa com cara de anjo, dizendo que tinha sido o gato, embora eu nunca tenha sabido de gato que gostasse de torta de groselha!

— Ele esteve por aqui em abril, não?

— Sim, esteve aqui em dois fins de semana, antes de a senhora morrer.

— Costumava vê-lo muitas vezes?

— Algumas. Não havia muita coisa para um jovem fazer por aqui... O sr. Charles costumava ir ao George tomar um trago e depois vinha para cá, fazer perguntas sobre uma coisa e outra.

— Sobre flores?

— Sim, flores. E também ervas. — O jardineiro deu uma risada.

— Ervas?

Na voz de Poirot percebia-se uma súbita curiosidade. Voltou a cabeça e percorreu as prateleiras com o olhar, até deter-se numa lata.

— Talvez quisesse saber como se livrar delas?

— Exatamente.

— É esta droga que usa? — perguntou Poirot, girando a lata para ler o rótulo.

— Sim, senhor. É uma droga muito ativa.

— Perigosa?

— Não, quando se usa certo. É claro que é arsênico. Costumávamos até brincar por causa disso, o sr. Charles e eu. Dizia que se casasse com uma mulher de quem não gostasse viria pedir-me um pouco para dar fim a ela. E eu respondia que talvez ela é que decidisse se livrar dele. E como ele se ria!

— Está quase vazia — murmurou Poirot.

O velhote observou a lata.

— É... tem menos do que eu podia calcular. Não pensava ter usado tanto... Vou encomendar mais.

— Receio — disse Poirot, em tom de brincadeira — que o que resta não dê para a *minha* mulher!

Rimo-nos todos, outra vez.

— O senhor não é casado, não?

— Não.

— Logo vi. São sempre os solteiros que brincam com essas coisas. Não sabem como é a coisa!

— Suponho que sua mulher... — insinuou o meu amigo.

— Está viva e bem viva — concluiu o jardineiro, um tanto deprimido.

Despedimo-nos, cumprimentando-o pelo jardim.

XXI

O farmacêutico — a enfermeira — o médico

A LATA DE herbicida veio dar novo curso aos meus pensamentos. Era a primeira suspeita concreta com a qual me deparava. O interesse de Charles por ela, e a evidente surpresa do jardineiro ao encontrá-la quase vazia, tudo parecia apontar para a direção certa.

Poirot se manteve reservado, como sempre acontece quando me mostro excitado.

— Ainda que parte do defensivo tenha sido retirado, não há evidência de que Charles o tenha feito.

— Mas ele falava muito disto com o jardineiro!

— O que era burrice, se pretendia servir-se do produto. Se lhe pedirem depressa o nome de um veneno, qual é o primeiro que lhe vem à cabeça?

— Arsênico, creio.

— Sim. Então você compreende aquela pausa antes da palavra estricnina, na conversa de Charles.

— Quer dizer?...

— Que ia dizer "arsênico na sopa da Tia Emily", mas se conteve.

— Mas por quê?

— Sim, por quê? Confesso, Hastings, que foi para encontrar esta resposta que fui ao jardim à procura de um exterminador de ervas.

— E você o encontrou.

— Sim, achei.

Balancei a cabeça.

— As coisas começam a ficar feias para o jovem Charles. Você teve uma boa conversa com Ellen sobre a doença da velha senhora. Seus sintomas eram semelhantes ao de envenenamento por arsênico?

Poirot esfregou o nariz.

— Difícil dizer. Havia dores abdominais, enjoo.

— É isto mesmo!

— Hum... não tenho tanta certeza.

— Que veneno parecia?

— *En bien,* meu caro, indicavam mais doença do fígado e morte em consequência disto do que qualquer envenenamento.

— Oh, Poirot! — lamentei. — Não pode ter sido morte natural! Tem de ser assassinato!

— Oh, *là là!* Parece que trocamos de lugar...

Inesperadamente, Poirot entrou numa farmácia. Depois de uma longa conversa sobre os males que lhe consumiam as entranhas, comprou uma caixinha de pílulas digestivas. Mas, quando o remédio já estava embrulhado e íamos saindo, sua atenção pareceu atraída para uma bela embalagem das Pílulas do dr. Loughbarrow para o fígado.

— Sim, senhor, um excelente remédio. — O farmacêutico era um homem de meia-idade, amigo de uma boa conversa. — Se experimentar, verá que é eficaz.

— Lembro-me de que a srta. Emily Arundell costumava usá-las.

— Com efeito, senhor. A srta. Arundell, da Littlegreen House. Uma boa senhora, da velha escola. Eu a atendia.

— Ela tomava muitos remédios?

— Nem por isso, senhor. Não tanto quanto certas senhoras de idade que conheço... Agora, a srta. Lawson, a dama de companhia que herdou tudo...

Poirot assentiu.

— Ela tomava de tudo. Pílulas, pastilhas, cápsulas para dispepsia, misturas digestivas, preparados para o sangue. Divertia-se com as garrafas. — O homem sorriu: — Gostaria que houvesse muito mais gente como ela. Já não tomam remédios como antes. Mas, em compensação, vendemos um bocado de produtos de beleza.

— A srta. Arundell tomava estas pílulas para o fígado com regularidade?

— Tomava. Creio que começou três meses antes de falecer.

— O dr. Tanios, um, parente dela, um dia esteve aqui para aviar uma receita, não?

— Sim, o cavalheiro grego que se casou com a sua sobrinha? Um preparado muito interessante. Nunca o vira antes!

O farmacêutico parecia falar de um espécime botânico raro:

— É sempre agradável variar, compor coisas novas. E esta era muito interessante, já disse. Claro, o cavalheiro era médico. Muito agradável, por sinal.

— Sua mulher também costumava fazer compras aqui?

— Não me lembro. Ah, sim! Veio uma vez aviar uma receita para dormir: cloral. Recordo-me até que a receita era de dose dupla. Temos de ter muito cuidado com essas substâncias hipnóticas: os médicos receitam pouco de cada vez.

— Quem receitou?

— O marido, suponho. Mas estava tudo bem. O senhor sabe, temos de ser muito cautelosos, porque se um médico se engana numa receita, e nós a aviamos de boa fé, nós é que pagamos se algo acontece ao cliente. Não o médico.

— Mas isto parece muito injusto!

— É aborrecido, confesso, mas não posso me queixar.

Bateu na madeira e disse: — Nunca tive problemas.

Poirot resolveu comprar também uma caixa de pílulas do dr. Loughbarrow.

— Obrigado, senhor. Que tamanho? 25, 50, 100?

— Creio que as maiores são mais baratas, porém...

— Leve a de 50. É a que a srta. Arundell comprava.

Poirot concordou, pagou e pegou o embrulho.

Em seguida, saímos.

— Então a sra. Tanios comprou remédio para dormir! — exclamei tão logo chegamos à rua. — Uma dose excessiva dava para matar, não?

— Com a maior facilidade...

— Será que a velha senhora...

Naquele momento, eu recordava as palavras da srta. Lawson: "Seria capaz de apostar que, se lhe ordenasse, mataria alguém."

Poirot balançou a cabeça.

— Cloral é um narcótico e um hipnótico. Usa-se para aliviar dores ou como soporífero. Pode também viciar.

— Acha que a sra. Tanios se habituou?

Poirot balançou a cabeça, perplexo:

— Não, não creio. É curioso, posso pensar numa explicação. Mas isso significaria...

Interrompeu-se e olhou as horas.

—Vamos ver se encontramos a enfermeira Carruthers, que tratou da srta. Arundell na sua última doença.

A enfermeira Carruthers era uma mulher de meia-idade, de aspecto sério, diante da qual Poirot apresentou-se em novo papel, e com outro parente fictício. Queria uma enfermeira para tratar da mãe velhinha...

—A senhora compreende... vou ser-lhe franco. Minha mãe é difícil. Já tivemos excelentes enfermeiras, moças novas, altamente competentes, mas o simples fato de serem jovens estragava tudo. Minha mãe não gosta de gente jovem, insulta-as, trata-as rudemente, protesta contra as janelas abertas e a higiene moderna. É difícil.

A mulher suspirou.

— Compreendo. Às vezes é maçante. Precisamos de muito tato para não irritar os doentes. É melhor deixá-los conduzir as coisas, e uma vez que eles sentem que não se pretende forçá-los, cedem e tornam-se uns cordeiros...

— Ah, a senhora seria o ideal! Vejo que compreende as pessoas de idade.

—Tenho tratado de algumas — respondeu a enfermeira, sorrindo. — Paciência e boa disposição ajudam muito.

—Tem razão! A senhora cuidou da srta. Arundell, não? Essa também não devia ter sido fácil...

— Francamente, não sei. Tinha muita vontade, mas não encontrei dificuldades. De resto, estive pouco tempo com ela. Morreu no quarto dia.

— Ainda ontem falei com sua sobrinha, a srta. Theresa Arundell.
— Foi? Engraçado! É um mundo pequeno!
— Conhece-a, não?
— Sim. Esteve aqui quando a tia morreu e assistiu ao enterro, mas eu já a vira antes. É muito elegante.
— Sim, mas muito magra... excessivamente magra.

A enfermeira, ciente de sua gordura, esboçou um sorriso vaidoso.

— Claro, ninguém deve ser magro demais.
— Pobre moça — continuou Poirot — tenho muita pena dela. *Entre nous* — inclinou-se para a frente, para confidenciar — o testamento da tia foi um golpe duro.
— Deve ter sido. Deu o que falar.
— O que teria levado a srta. Arundell a deserdar a família? Foi um gesto muito estranho...
— Muito estranho, realmente. E, claro, logo começaram a dizer que havia alguma coisa por detrás de tudo.
— A srta. Arundell nunca disse nada que indicasse a verdadeira razão?
— Não, nunca. Pelo menos para mim.
— Mas e à outra pessoa?
— Bem, imagino que disse *alguma coisa* à srta. Lawson, porque ouvi-a dizer "Sim, querida, mas está com os advogados", e a srta. Arundell disse "Tenho certeza de que está lá embaixo, na gaveta". E a srta. Lawson disse: "Não, a senhora mandou para o sr. Purvis. Não se lembra?" E então minha paciente teve outro ataque de náusea e a srta. Lawson saiu enquanto eu cuidava dela. Sempre me perguntei se não falavam do testamento.
— É muito provável.
— Neste caso, creio que a srta. Arundell pretendia modificá-lo. Mas depois disso ficou tão doente que não pensou em mais nada.
— A srta. Lawson ajudou a senhora a tratar dela?
— Oh, não. Só servia para atrapalhar. Irritava a doente.

— Então a senhora cuidou dela sozinha? *C'est formidable ça!*
— A criada, Ellen, ajudou-me. Era muito boa, estava acostumada com a doença e a cuidar da senhora. Fizemos boa dupla. Na verdade, o dr. Grainger resolveu mandar uma enfermeira para a noite na sexta-feira, mas a srta. Arundell morreu antes dela chegar.
— A srta. Lawson ajudava a preparar a dieta da doente?
— Não. E não havia, aliás, o que preparar. Eu é que lhe dava o Valentine e o *brandy,* glucose etc. A srta. Lawson só ficava andando pela casa chorando e atrapalhando todo mundo.

A voz da enfermeira tinha um tom nitidamente acrimonioso.
— Vejo — disse Poirot, sorrindo — que não tem boa opinião sobre a utilidade da srta. Lawson.
— Na minha opinião, as damas de companhia de pouco servem. Não são *treinadas* para nada. São *amadoras.* E geralmente são mulheres que não servem para nada.
— Acha que a srta. Lawson gostava muito da srta. Arundell?
— Parecia que sim. Ficou muito abatida e sentiu muito quando ela faleceu. Na minha opinião, até mais do que os parentes.
— Nesse caso, a srta. Arundell sabia o que estava fazendo quando lhe deixou toda a fortuna...
— Ela era muito perspicaz — disse a enfermeira. — Pouco ou nada lhe escapava.
— Referiu-se ao Bob, durante a doença?
— Que coincidência o senhor me perguntar. Falou muito nele... delirando. Qualquer coisa sobre uma bola e uma queda que levara. Gosto muito de cães. O pobre cachorro ficou muito sentido com a morte da dona. São maravilhosos, não? Parecem gente.

Como a conversa mergulhasse na humanidade dos cães, partimos.
— Eis aí uma que não tem a menor desconfiança — observou Poirot ao chegarmos à rua.

Comemos um mau jantar no George, com muitos resmungos de Poirot, sobretudo acerca da sopa.
— E é tão fácil fazer uma boa sopa, Hastings! *Le pot au feu...*

Com habilidade, esquivei-me de um tratado de culinária.

Depois do jantar, tivemos uma surpresa.

Estávamos no salão de estar, sozinhos. No jantar, houvera um outro comensal, viajante comercial, pela sua aparência, mas saíra. Eu folheava um número antigo do *Stock Breeders' Gazette,* quando de repente ouvi mencionarem o nome de Poirot.

A voz em questão era de alguém lá fora.

— Onde está ele? Ali? Pode deixar, eu acho.

A porta escancarou-se violentamente e o dr. Grainger, rubro de raiva, entrou na sala. Fez uma parada para fechar a porta e avançou para nós sem hesitar.

— Ah, aqui está! Agora, M. Hercule Poirot, que diabo é esse de visitar-me para me dizer um monte de mentiras?

— Uma das bolas do malabarista? — insinuei, com malícia.

— Meu caro doutor, deve-me permitir explicar...

— Permitir? Permitir? Diabos, vou *forçá-lo* a explicar! O senhor é um detetive. Um fuçador! E ainda vem me contar que está escrevendo sobre o velho general Arundell. Burro fui eu de acreditar na história!

— Quem o informou da minha identidade?

— Quem me disse? A srta. Peabody. Ela percebeu tudo!

— A srta. Peabody... — repetiu Poirot. — Pensei...

O dr. Grainger interrompeu-o irritado.

— Muito bem, senhor, estou esperando a sua explicação!

— Certamente, certamente. Minha explicação é muito simples: tentativa de homicídio.

— O quê? Que quer dizer?

— Não é verdade que a srta. Arundell levou um tombo? — perguntou Poirot, com tranquilidade. — Um tombo da escada, pouco antes de morrer?

— Sim, e daí? Ela escorregou no diabo da bola do cachorro!

Poirot balançou a cabeça.

— Não, doutor. Não foi assim. Havia um fio atravessado, no alto da escada, para derrubá-la.

O dr. Grainger ficou boquiaberto.

— Então... Por que não me disse? Ela nunca falou nisto!

— Talvez seja compreensível, se considerarmos que um *membro de sua própria família* o colocou lá!

— Humm... Compreendo. — Grainger lançou um olhar penetrante para Poirot, e deixou-se cair numa cadeira. — Bem, e como é que o senhor entrou neste caso?

— A srta. Arundell me escreveu, pedindo o maior sigilo. Infelizmente a carta atrasou.

Poirot explicou-lhe o caso detalhadamente, contando-lhe a descoberta do prego no alto da escada.

O médico ouviu-o com expressão grave. A ira desaparecera.

— O senhor compreenderá a dificuldade da minha posição. Eu estava empregado por uma mulher morta, mas nem por isto podia descurar da minha obrigação.

— Não faz ideia de quem estendeu o fio na escada? — perguntou o médico, de testa franzida.

— Não tenho provas de quem tenha sido, mas faço ideia.

— É uma história muito ruim.

— Sem dúvida. Compreende agora, para começar, que eu estava incerto, sem saber se houvera ou não prosseguimento?

— E o que é isso?

— Para todos os efeitos a srta. Arundell teve morte natural, mas poder-se-ia ter certeza disto? Tinha havido um atentado contra a sua vida. Como poderia estar certo de que não houvera um segundo? E desta vez com êxito?

Grainger balançou pensativamente a cabeça, e Poirot lhe perguntou:

— Suponho que o senhor tem a certeza... dr. Grainger, por favor não se ofenda... de que foi uma morte natural. Mas ainda hoje encontrei indícios...

Poirot contou-lhe detalhadamente a conversa que tivera com o velho Angus, o interesse de Charles pelo defensivo e a surpresa do jardineiro ao verificar que a lata estava quase vazia.

Grainger ouviu-o com a maior atenção, dizendo-lhe, por fim:

— Compreendo o que pensa. Muitos casos de envenenamento por arsênico têm sido diagnosticados como gastrenterites agudas. As certidões de óbito dão essa *causa mortis*, sobretudo quando não há suspeitas. O envenenamento por arsênico detém certas dificuldades para o diagnóstico, já que se apresenta de muitas formas. Pode ser agudo, subagudo, nervoso ou crônico; provocar ou não vômitos e dores. Em outros casos, a pessoa pode cair repentinamente e expirar em seguida. Pode haver narcose e paralisia. Os sintomas variam muito.

— *En bien,* considerando tudo isto, qual é a sua opinião?

Grainger pensou alguns minutos e respondeu:

— Considerando tudo e sem me deixar influenciar, acho que nenhuma forma de envenenamento por arsênico apresentou sintomas na srta. Arundell. Estou certo de que morreu de icterícia. Como sabe, fui seu médico por muitos anos, e anteriormente teve ataques semelhantes ao que lhe causou a morte. É esta a minha opinião, Monsieur Poirot.

Assim, o assunto teve de morrer.

Parecia mais um anticlímax, quando, desculpando-se, Poirot mostrou as pílulas para o fígado que comprara na farmácia.

— A srta. Arundell as tomava, não? Creio que não podia fazer-lhe mal?

— Essa droga? É absolutamente inofensiva. Aloés, podofilina, tudo muito suave e inofensivo. Ela gostava de experimentar, e eu não fui contra.

— O senhor pessoalmente lhe prescreveu medicamentos?

— Sim. Umas pílulas suaves, para o fígado, para tomar após as refeições. — Seus olhos piscaram. — Podia ter tomado uma caixa inteira e não sofreria nada. Não enveneno meus pacientes, Monsieur Poirot.

Então, com um sorriso, apertou-nos as mãos e retirou-se.

Poirot desembrulhou o remédio que comprara. O medicamento consistia de cápsulas transparentes, cheias até três quartos de um pó castanho escuro. Abriu uma delas, provou o conteúdo com a ponta da língua e fez uma careta.

— Bem — disse-lhe eu recostando-me à cadeira e bocejando —, tudo parece bastante inofensivo desde as especialidades do dr. Loughbarrow até as pílulas do dr. Grainger. E este último mostra-se muito pouco inclinado a aceitar a hipótese do arsênico. Convenceu-se, finalmente, meu teimoso Poirot?

— Sou um cabeça-dura, não é assim que dizem?

— Quer dizer que, apesar de tudo que existe contra a sua teoria, continua a pensar que a srta. Arundell foi assassinada?

— Sim, é o que penso. Não, não penso. *Tenho certeza.*

— Há um modo de prová-lo — disse eu —: exumação.

Poirot balançou a cabeça.

— Será este o nosso próximo passo? — insisti.

— Tenho de agir com muita cautela, amigo.

— Por quê?

— Porque — sua voz baixou — temo uma segunda tragédia.

— Quer dizer...

— Tenho medo, Hastings. Tenho medo. Vamos deixar por aqui.

XXII

A mulher da escada

NA MANHÃ SEGUINTE trouxeram-nos um bilhete. Estava escrito numa caligrafia ascendente, hesitante e trêmula. Dizia assim:

> *"Caro Monsieur Poirot:*
> *Soube pela Ellen que esteve ontem na Littlegreen House. Ficar--lhe-ia muito grata se pudesse visitar-me hoje, a qualquer hora.*
> *Sinceramente,*
> *Wilhelmina Lawson"*

— Então ela está nas redondezas — observei.
— Sim.
— Por que terá vindo?
Poirot sorriu.
— Não creio que exista qualquer razão sinistra. Afinal de contas, a casa lhe pertence.
— Sim, é claro. O pior de tudo, Poirot, é que o menor gesto dos suspeitos leva às mais sinistras elucubrações.
— Ao que parece, consegui aliciá-lo para o meu lema: "Suspeite de todos"...
— Você ainda o segue?
— Não. Para mim só há um suspeito. Como, até agora, não passa de suspeita e não tenho uma prova definitiva, prefiro que você tire as suas próprias conclusões, Hastings. E não negligencie da psicologia... é importante. O caráter do assassinato depende do temperamento do assassino. Isto é essencial.

— Não posso considerar o temperamento do assassino sem conhecê-lo!

— Não, não. Você não prestou atenção ao que acabei de dizer. Se pensar detidamente no tipo de assassinato, compreenderá quem é o assassino.

— Mas você sabe mesmo, Poirot? — indaguei, curioso.

— Não posso dizer que sei porque não tenho provas. Assim, tenho de silenciar até ver. Mas estou certo... sim, meu amigo, no meu íntimo tenho absoluta certeza.

— Bem — comentei, sorrindo —, cuidado para que ele não o apanhe. Isto seria uma verdadeira tragédia!

Poirot estremeceu. Não levou a coisa na brincadeira. Ao contrário, murmurou:

— Tem razão. Preciso ter muito cuidado.

— É melhor usar um colete à prova de balas — recomendei, brincando. — E contratar um provador de comida, em caso de veneno! Na verdade, devia ter uma equipe de guarda-costas...

— *Merci,* Hastings. Mas contarei apenas com meus conhecimentos.

Escreveu um bilhete à srta. Lawson, dizendo-lhe que estaria na Littlegreen House às onze horas. Após o café, saímos para o Largo. Eram 10h15, e a manhã estava quente.

Eu olhava na vitrina de um antiquário um bonito jogo de cadeiras Hopplewhite, quando recebi uma violenta pancada nas costas e uma voz fininha exclamou:

— Alô!

Virei-me indignado, e deparei com a srta. Peabody. Em sua mão estava um grande e poderoso guarda-chuva de ponta comprida (o instrumento de ataque).

Ao que parecia, não se importava com a dor que me causara, pois observou satisfeita:

— Ah, sabia que era você. Não costumo me enganar!

Respondi-lhe friamente:

— Hum... Bom dia. Posso ajudá-la em alguma coisa?

— Pode me dizer como vai aquele seu amigo com o livro... *A Vida do General Arundell?*

— Na verdade, ainda não começou a escrever.

A srta. Peabody explodiu numa gargalhada indulgente:

— Tenho certeza de que não começou!

— Percebeu então nossa ficçãozinha?

— O que pensa de mim? Que sou boba? — perguntou a srta. Peabody. — Logo vi atrás de que estava o seu amigo! Querendo falar comigo! Muito bem, não me importei. Gosto de falar. Difícil é arranjar quem ouça. Até que me diverti naquela tarde.

Lançou-me um olhar malicioso e perguntou:

— Por que todo o mistério? Por quê?

Fiquei confuso. Não sabia o que lhe dizer, quando Poirot juntou-se a nós. Curvou-se com *delicadeza* para a srta. Peabody.

— Bom dia, Mademoiselle. Encantado por vê-la.

— Bom dia — respondeu-lhe. — Como está, Parott! ou Poirot?

— Mostrou-se muito inteligente ao descobrir logo o meu disfarce — disse ele, sorrindo.

— De que valia o disfarce? Não existem muitos como o senhor por aqui! Não sei se é bom ou mau. Difícil dizer.

— Prefiro ser *unique*, Mademoiselle.

— E acho que consegue — disse, secamente. — O senhor, no outro dia, conseguiu de mim o que queria. Agora é a minha vez de perguntar. O que está acontecendo? Sim, o que é que há?

— Não está fazendo uma pergunta cuja resposta já conhece?

— Imagino. — Lançou-lhe um olhar ferino. — Alguma coisa relativa ao testamento? Querem desenterrar a Emily? É isso?

Poirot não respondeu.

A srta. Peabody balançou a cabeça, e pensou, como se tivesse tido uma resposta.

— Muitas vezes me perguntei como seria... — murmurou incoerentemente. — Lia os jornais e ficava imaginando se um dia desenterrariam alguém em Market Basing... Nunca pensei em Emily Arundell...

Lançou-lhe um olhar profundo e súbito:

— Ela não gostaria nada disso, sabe? Levou isto em consideração?

— Sim, pensei nisto.

— Achei que pensaria... o senhor não é tolo. E também não me parece que seja particularmente intrometido.

Poirot curvou-se:

— Obrigado, Mademoiselle.

— Mas poucas pessoas pensariam assim... vendo o seu bigode. Por que usa um bigode como esse? Gosta dele?

Tive de dar as costas para esconder o riso.

— Na Inglaterra, o culto ao bigode tem sido lamentavelmente negligenciado — disse Poirot, enquanto sua mão acariciava o adorno cabeludo.

— Ah, sim... Engraçado! — exclamou a srta. Peabody. — Conheci uma mulher que tinha uma papada e se orgulhava dela! Ninguém acredita, mas é verdade. Bem, é bom quando se fica feliz com o que Deus nos dá. Geralmente ocorre o contrário.

Balançou a cabeça, suspirou e prosseguiu, lançando novo olhar ferino para Poirot:

— Nunca imaginei que houvesse um crime neste ponto perdido do mundo. Quem o cometeu?

— Devo gritá-lo em plena rua?

— O que significa, provavelmente, que não sabe. Ou sabe? Mau sangue... mau sangue. Sempre quis saber se a tal Varley matou mesmo o marido. Faz diferença.

— Acredita em hereditariedade?

A srta. Peabody disse de repente:

— Preferia que fosse Tanios. Um estrangeiro! Mas querer não é poder... Bem, vou andando... Já sei que não me dirá nada. Por falar nisso, a quem presta serviços?

Poirot respondeu com gravidade:

— À morta, Mademoiselle.

Lamento informar que a srta. Peabody recebeu esta informação com uma gargalhada. Dominando rapidamente o riso, disse:

— Desculpe. Parecia Isabel Tripp. Que mulher horrível! E Júlia, creio, ainda é pior. Sempre bancando a garotinha... Nunca gostei de bode cozinhado por cabra. Bem, até logo. Já viram o dr. Grainger?

— Mademoiselle, tenho contas a ajustar consigo. Traiu o meu segredo.

A srta. Peabody deu sua gargalhadinha.

— Os homens são muito crédulos! O pobrezinho engoliu todas as suas mentiras, mas não queira saber como ficou furioso! Está procurando pelo senhor...

— Encontrou-me na noite passada.

— Oh! Quisera ter estado presente!

— Eu também, Mademoiselle — observou Poirot, com galanteria.

A srta. Peabody riu e preparou-se para partir, dizendo-me por sobre o ombro:

— Até logo, jovem. Não compre essas cadeiras. São de imitação.

Deixou-nos, sorrindo.

— Lá vai uma velha inteligente — observou Poirot.

— Apesar de não ter gostado do seu bigode?

— Gosto é uma coisa — disse Poirot friamente. — Miolos são outra.

Entramos na loja e passamos uns vinte minutos olhando as coisas. Saímos afinal com a carteira intacta, e dirigimo-nos a Littlegreen House.

Ellen, com o rosto mais avermelhado que de costume, recebeu-nos e nos levou à sala. Pouco depois ouvimos passos na escada, a srta. Lawson apareceu, um tanto ofegante e amalucada. Sobre a cabeça, usava um lenço de seda.

— Desculpem a minha aparência. Tenho arrumado os armários... As pessoas idosas têm o costume de guardar tudo, e a querida srta. Arundell não era exceção. A gente fica cheia de poeira no cabelo. É impressionante o que as pessoas guardam. Duas dúzias de cartões de agulhas! Duas dúzias!

— Quer dizer que a srta. Arundell comprou 24 cartões de agulhas?

— Comprou, guardou e esqueceu! E agora estão todas enferrujadas. Uma pena! Costumava dá-las às criadas no Natal.

— Era muito esquecida?

— Ah, demais! Especialmente quando guardava as coisas. Era como um cão com um osso. Geralmente comentávamos isto. "Não banque o cachorro!" — eu costumava dizer a ela.

Deu uma risada, mas logo pegou num lenço e começou a fungar.

— Oh, Deus — disse entre lágrimas — como posso rir-me aqui?

— A senhora é muito sensível — disse Poirot. — Sente muito as coisas.

— É o que minha mãe costumava dizer, Monsieur Poirot. "Você se emociona demais, Minnie", dizia. É uma grande desvantagem ser tão sensível, ainda mais quando temos de ganhar a vida.

— Sem dúvida, mas a senhorita já não precisa trabalhar. Pode se divertir, viajar... não tem nada que possa preocupá-la...

— Talvez esteja certo — murmurou a srta. Lawson, pouco convencida.

— Tenho certeza de estar. Mas por falar na memória fraca da srta. Arundell, agora entendo porque a sua carta demorou tanto a chegar.

Poirot explicou as circunstâncias que levaram à carta. A srta. Lawson corou um pouco, e disse, indignada:

— Ellen deveria ter-me contado! Foi uma grande impertinência enviar a carta sem me falar! Deveria ter-me consultado antes. *Grande* impertinência a dela.

— Oh, minha cara, estou certo de que ela o fez na melhor das intenções.

— É, mas acho que foi muito esquisito! Às vezes as empregadas agem de modo muito estranho. Ellen devia ter-se lembrado de que agora a dona da casa sou eu.

Empertigou-se, imponente.

— Ellen era muito devotada à patroa, não? — perguntou Poirot.

— Sim, mas isto não faz diferença. Deveria ter-me contado!

— O importante é que... eu recebi a carta.

— Compreendo que já não adianta criar problemas com coisas que já aconteceram, mas insisto em que deveria ter sido avisada; acho que Ellen não podia sair fazendo coisas sem consultar-me primeiro!

Interrompeu-se, mais corada ainda.

— Por que mandou me chamar? — perguntou Poirot. — De que modo posso servi-la?

A irritação da srta. Lawson sumiu tão depressa quanto surgira. Retomou sua incoerência:

— Bem, o senhor sabe... é que me perguntei... Bem, para ser franca, cheguei ontem, e, é claro, Ellen falou-me de sua visita. Fiquei admirada, como deve compreender, pois não me disse que viria aqui. Pareceu-me estranho... não atinava...

— Com a razão que me trouxera até aqui? — completou Poirot.

— Eu, bem... sim, foi isto mesmo — gaguejou, curiosa.

— Devo fazer-lhe uma pequena confissão — disse Poirot. — Deixei-a laborar em erro, ao informá-la de que a carta da srta. Arundell referia-se ao dinheiro subtraído, segundo o que tudo indica, pelo sr. Charles Arundell.

A srta. Lawson abanou a cabeça, mas permaneceu calada.

— Contudo, não se tratava disto e só por seu intermédio soube desse furto... Na verdade, a srta. Arundell escreveu-me sobre a sua queda.

— Seu acidente?

— Sim, ela caiu da escada, segundo sei...

— Ah sim? — perguntou, perplexa, olhando vagamente para Poirot. — Mas, desculpe-me... devo ser muito boba para não entender... Por que escreveu ao senhor? Sei... acho que me disse... é detetive. Não é um médico... nem curandeiro?

— Não, não sou médico nem curandeiro. Mas, como ocorre com os médicos, às vezes me interesso pelas chamadas mortes acidentais.

— Mortes acidentais?

— Disse-lhe as *chamadas* mortes acidentais. A srta. Arundell não morreu, mas poderia ter morrido daquela vez.

— Sim, o médico disse a mesma coisa, mas não compreendo...

A srta. Lawson parecia ainda confusa.

— A causa do acidente foi dada como a bola de Bob, não?

— Sim, sim. Foi isso. A bola de Bob.

— Não, não foi a bola de Bob.

— Desculpe-me, Monsieur Poirot, mas eu a vi com estes olhos...

— Talvez a tenha visto. Mas *ela não causou o acidente*. A causa do acidente, srta. Lawson, foi um fio de cor escura, estendido a 30 centímetros de altura, no patamar da escada.

— Mas... um cão não poderia...

— Exatamente — confirmou Poirot. — Um cão não poderia fazer isto... não tem inteligência para tanto... ou, se quiser, não tem *maldade* para tanto. Um ser humano colocou-o lá.

A srta. Lawson empalideceu. Levou as mãos ao rosto.

— Oh, Monsieur Poirot, não posso acreditar nisto... é horrível! Quer dizer que foi proposital?

— Sim, foi.

— Mas é horrível. É como... quase matar uma pessoa!

— Se desse certo, teria matado uma pessoa! Em outras palavras: teria havido um assassino!

A srta. Lawson soltou um gritinho fino.

— Alguém colocou um prego no rodapé, para amarrar uma das pontas do fio. Um prego que foi envernizado, para não ser notado. Diga-me: lembra-se de ter alguma vez percebido cheiro de verniz pela casa?

— Que coisa! Mas é claro! E pensar que nunca me ocorreu... nunca imaginei... Como haveria? Entretanto, na ocasião, pareceu-me estranho.

— Quer dizer, Mademoiselle, que pode nos ajudar? — perguntou Poirot, inclinando-se para a frente. — Vai nos ajudar de novo! *C'est épatant!*

— Então era isto! Bem, tudo se casa...

— Rogo-lhe que me explique. Cheirou a verniz?

— Sim, embora não soubesse o que era. Pensei que fosse tinta, ou cera, e, é claro, achei que imaginava coisas.

— Quando foi isto?
— Deixe-me ver...
— Na Páscoa, quando a casa estava cheia de visitas?
— Sim, foi por aí. Mas queria lembrar-me exatamente do dia. Não foi no domingo, nem na terça-feira, quando o dr. Donaldson veio jantar. Na quarta-feira, todos se foram. Foi na segunda-feira, sem dúvida. Lembro-me que estava deitada, sem sono, e cheia de preocupações. A carne deu apenas para o jantar, e temia que a srta. Arundell ficasse zangada. Compreende, eu é que fiz a encomenda no sábado, e, em vez de pedir sete libras, achei que cinco dariam bem, mas a srta. Arundell sempre se aborrecia se faltava alguma coisa... era tão hospitaleira...

A srta. Lawson fez uma pausa, suspirou e prosseguiu:
— Assim, não conseguia dormir. Perguntava-me se ela me diria alguma coisa no dia seguinte. Quando estava quase adormecendo, qualquer coisa me despertou: estavam raspando ou batendo em alguma coisa. Sentei-me na cama e cheirei, pois sempre tenho medo de um incêndio... Às vezes tenho a impressão de sentir cheiro de fumaça duas, três vezes durante a noite. Não seria horrível se ficássemos encurralados? Senti um cheiro estranho, realmente, mas não era de fumaça. Disse para mim mesmo que devia ser tinta ou cera, mas isto não fazia sentido, no meio da noite. Como o cheiro era forte, sentei-me na cama. Foi quando a vi pelo espelho...

— Viu-a? Quem?
— Vi-a pelo espelho. Costumava sempre deixar a porta aberta, pois a srta. Arundell poderia me chamar, ou, caso descesse a escada, poderia vê-la. Como a luz do corredor ficava acesa toda a noite, pude vê-la ajoelhada na escada... Theresa. Estava ajoelhada mais ou menos no terceiro degrau e curvada sobre alguma coisa. Disse a mim mesma: Que coisa! Será que está passando mal? Mas logo em seguida levantou-se e foi embora. Pensei que tivesse escorregado, ou coisa assim. É claro que nunca mais pensei no caso.

— O barulho que a acordou devia ser do martelo — deduziu Poirot.

— É, acho que sim. Mas que horror, Monsieur Poirot! Sempre achei Theresa um pouco... *selvagem,* mas fazer uma coisa daquelas!

— Tem certeza de que era Theresa?

— Absoluta!

— Não poderia ser a sra. Tanios ou uma das empregadas?

— Não. Era Theresa.

Balançou várias vezes a cabeça e murmurou:

— Meu Deus! Meu Deus!

Poirot observava-a de modo estranho.

— Permita-me — pediu subitamente — fazer uma experiência. Vamos até lá em cima e reconstituamos esta pequena cena.

— Reconstituir? Mas não sei... quero dizer... não vejo...

— Eu lhe mostro — disse Poirot, interrompendo-a de modo autoritário.

A srta. Lawson, confusa, indicou o caminho.

— O quarto está desarrumado... tanta coisa a fazer... — gaguejou.

Com efeito, o quarto estava atravancado de objetos, resultado da arrumação dos armários sobre a qual ela falara. Com a incoerência usual, a srta. Lawson indicou-nos sua posição na cama, e Poirot pôde confirmar que, de fato, dava para observar, pelo espelho, uma parte da escadaria.

— E agora, Mademoiselle, pedir-lhe-ia o favor de sair e reproduzir o que viu.

A srta. Lawson, murmurando ainda "Oh, Deus", saiu para fazer sua parte, enquanto Poirot ficava no papel de observador.

Terminada a reconstituição, o detetive foi ao patamar e perguntou qual lâmpada ficava acesa.

— Esta aqui... Bem à porta do quarto da srta. Arundell.

Poirot retirou a lâmpada e a examinou.

— Quarenta watts. Não é muito forte.

— Ficava acesa apenas para o corredor não ficar inteiramente no escuro — explicou a srta. Lawson.

Poirot voltou ao patamar.

— Perdoe-me, Mademoiselle, mas com esta luz fraca e, dada a maneira pela qual a sombra cai, dificilmente poderia ver com nitidez. Poderia dizer positivamente se viu Theresa Arundell, e não outra pessoa do sexo feminino, de camisola?

A srta. Lawson ficou indignada.

— Não, Monsieur Poirot. Tenho plena certeza! Conheço bem Theresa. Era ela mesma. Vi-a perfeitamente de camisola escura, com o broche que usa com suas iniciais.

— Então não há dúvida possível. Viu as iniciais?

— Sim, T. A. Conheço o broche. Theresa sempre o usava. Poderia jurar que era Theresa. E o farei, se necessário!

Havia firmeza e decisão naquelas duas últimas frases, o que não lhe era peculiar.

— Juraria?

— Sim, se fosse preciso. Mas creio que já... não será necessário?

Poirot lançou-lhe novamente um olhar significativo.

— Isto depende do resultado da exumação.

— Exu... exumação?!

Poirot estendeu a mão para ampará-la. Excitada, ela poderia rolar as escadas.

— Talvez seja preciso exumar o corpo.

— Oh, mas isso será... muito desagradável! Creio que a família se oporá à ideia. E firmemente!

— Provavelmente.

— Estou certa de que nem quererão ouvir isto!

— No entanto, se houver ordem do Ministério do Interior...

— Mas, Monsieur Poirot... por quê? Quero dizer...

— Sim?

— Que não houve nada de *errado*.

— Acha que não?

— Claro! O que poderia haver? E o médico, a enfermeira, tudo?

— Não se aborreça — disse Poirot, tranquilizando-a.

— Como não? Pobre srta. Arundell! Mas Theresa não estava aqui quando morreu.

— Não. Partiu na segunda-feira antes dela adoecer, não foi?
— Bem de manhã. Assim, nada pode ter a ver com o caso.
— Esperemos que não.
— Oh, meu Deus! — A srta. Lawson juntou as mãos em prece. — Nunca ouvi nada tão horrível! Sinto-me atordoada!
— Precisamos partir. Voltamos a Londres. E a senhorita? Ficará aqui por mais algum tempo?
— Não... não... Não planejei nada. Na verdade, é melhor partir também hoje...Vim apenas arrumar as coisas...
— Compreendo. Bem, adeus, Mademoiselle. Perdoe-me por tê-la aborrecido.
— Oh, Monsieur Poirot... *Aborrecer-me?* Sinto-me doente! Oh, meu Deus! Meu Deus! Que mundo terrível! Que mundo terrível!

Poirot segurou-lhe a mão com firmeza, interrompendo-lhe as lamentações.
— É assim. Ainda está disposta a jurar que viu Theresa Arundell ajoelhada na escada, na noite de segunda-feira depois da Páscoa?
— Sem dúvida, posso jurar.
— Poderá jurar também que viu uma auréola sobre a cabeça da srta. Arundell durante a sessão?

A srta. Lawson ficou boquiaberta.
— Por favor, não brinque com estas coisas!
— Não estou brincando. Ao contrário. Falo sério.
— Não foi exatamente uma auréola — respondeu-lhe a srta. Lawson. — Foi o início de uma *manifestação*. Uma fita de material luminoso. Acho que foi o início da formação de um rosto.
— Muito interessante. *Au revoir,* Mademoiselle, e, por favor, mantenha sigilo.
— Oh, é claro... é claro. Nem sonhe com isto...

A última coisa que vimos da srta. Lawson foi o seu olhar de ovelha a nos seguir quando cruzamos a porta principal.

XXIII

A visita do dr. Tanios

MAL SAÍMOS, POIROT assumiu uma nova expressão: seu rosto se mostrou preocupado e pensativo.

— *Dépêchons nous,* Hastings. Temos de chegar a Londres o mais rápido possível.

— É o que quero — repliquei, apressando o passo. — De quem você suspeita, afinal, meu amigo? Apreciaria que me dissesse. Acredita mesmo que Theresa Arundell esteve na escada?

Poirot não me respondeu. Ao contrário, fez-me uma pergunta.

— Reflita bem antes de me responder: não lhe parece que havia algo de *errado* nas declarações da srta. Lawson?

— Errado, como? De que modo?

— Se soubesse não estaria perguntando!

— Muito bem, mas errado em que sentido?

— Esse é exatamente o problema. Não consigo localizar o erro. Contudo, enquanto ela falava, tive uma espécie de sensação de irrealidade, como se houvesse qualquer coisa, um pequeno detalhe que não cabia na história. *Senti* que havia uma coisa *impossível...*

— Mas ela parecia ter certeza de que foi Theresa.

— Sei disto.

— Com uma luz tão fraca, não sei como poderia.

— Não, Hastings, assim você não me ajuda. Foi um detalhe qualquer. Um detalhe relacionado a... Sim, tenho certeza! Relacionado com o quarto de dormir.

Tentei recordar o que Minnie Lawson dissera sobre aquele aposento:

— Com o quarto de dormir? Não, não posso ajudá-lo.

Poirot abanou a cabeça, decepcionado.

— E que ideia foi essa de levantar o assunto do espiritismo?

— É importante.

— Importante o quê? A tal fita luminosa que saiu da boca da srta. Arundell?

—Você recorda a descrição que as senhoritas Tripp fizeram da *sessão*?

— Lembro-me de que disseram ter visto um halo em torno da cabeça da srta. Arundell. — Respondi, sorrindo: — Mas pelo que já ouvimos a seu respeito, ninguém pode dizer que era uma santa. A pobre srta. Lawson parece ter vivido espezinhada por ela. Tive pena dela quando disse que passara uma noite acordada por causa de um bife.

— Eis aí um detalhe interessante...

— Que vamos fazer em Londres? — perguntei, assim que entramos no George.

—Temos de ver a srta. Theresa Arundell imediatamente.

— E descobrir a verdade? Mas não acha que ela negará tudo?

— *Mon cher*, não é crime ajoelhar-se numa escada! Pode ter sido para apanhar um alfinete, por exemplo...

— E o cheiro de verniz?

O garçom chegou com a conta, interrompendo-nos a conversa.

No caminho para Londres, quase não conversamos. Não gosto de dirigir conversando, e Poirot dedicou-se todo o tempo a proteger os bigodes dos efeitos do vento e da poeira.

Chegamos ao apartamento cerca de vinte para as duas. George, o criado extremamente imaculado e inglês de Poirot, informou-nos à porta:

— Há um dr. Tanios à sua espera, senhor. Chegou há meia hora.

— Dr. Tanios? Onde está?

— Na sala, senhor. Também uma senhora esteve a sua procura. Ficou muito aborrecida por não tê-lo encontrado. Como ainda não recebera seu telefonema sobre a sua volta, não pude dizer-lhe quando estaria em Londres.

— Descreva-me esta senhora.

— Cerca de um metro e setenta, cabelos escuros e olhos azuis-claros. Usava um casaco e saia cinzentos e o chapéu estava muito inclinado para trás, em vez de pender para o lado direito.

— A sra. Tanios — murmurei.

— Pareceu-me muito nervosa, senhor. Disse que precisava encontrá-lo com urgência.

— A que horas foi isto?

— Cerca das dez e meia, senhor.

Poirot abanou a cabeça, contrariado, e caminhou para a sala.

— É a segunda vez que perco o que a sra. Tanios tem a dizer-me. Será o destino, Hastings?

— A terceira vez é a da sorte — consolei-o.

— Se houver uma terceira vez. Mas vamos ouvir o dr. Tanios.

Tanios sentara-se numa poltrona e lia um livro de Psicologia da estante de Poirot.

— Desculpe-me a intrusão! — comentou, levantando-se assim que nos viu. — Espero que não se aborreça por ter vindo e ficado a sua espera.

— *Du tout, du tout*. Queira sentar-se, e permita-me oferecer-lhe um cálice de xerez.

— Obrigado. Na verdade, o que me trouxe aqui foi um motivo muito sério... Estou preocupadíssimo com minha mulher.

— Com sua mulher? Sinto muito. O que há?

— Viu-a ultimamente, talvez?

A pergunta foi feita com naturalidade, mas seu olhar deu-me o que pensar.

— Não. Vi-a pela última vez com o senhor, ontem, no hotel.

— Pensei que pudesse tê-lo visitado...

— Não — asseverou o meu amigo, abstratamente, enquanto servia o xerez. — Haveria alguma razão para fazê-lo?

— Nenhuma — respondeu o médico, aceitando o cálice. — Muito obrigado. Não havia nenhuma razão, em especial. Contudo, para ser franco, estou muito preocupado com a saúde dela.

— Ela não é forte?
— Fisicamente está bem. O que me preocupa é a sua saúde mental.
— Como?
— Receio, Monsieur Poirot, que esteja à beira do esgotamento nervoso.
— Meu caro dr. Tanios, lamento muito ouvir isto.
— Seu estado tem-se agravado ultimamente. Nos dois últimos meses sua atitude para comigo mudou inteiramente. Anda nervosa, assustadiça, e é vítima das mais singulares fantasias. Na realidade, mais do que fantasias: *manias*.
— Sim?
— Sofre do que geralmente se chama de mania de perseguição. Um mal bem conhecido.
Poirot emitiu uma exclamação de pesar, e o médico prosseguiu:
— Compreende, assim, a minha preocupação.
— Certamente. Porém não consigo compreender a razão de ter me procurado. Em que poderia ajudá-lo?
O dr. Tanios pareceu um tanto embaraçado, mas explicou:
— Ocorreu-me que minha mulher tivesse vindo... ou ainda possa vir... contar-lhe alguma história extraordinária. É capaz de dizer que, comigo, está em perigo, ou coisa semelhante.
— Mas por que viria *a mim*?
O médico sorriu, de modo simpático e cativante, apesar de triste:
— O senhor é um detetive famoso, Monsieur Poirot. Notei... vi uma vez... que minha mulher ficou muito impressionada com o senhor. Apenas o fato de conhecer um detetive deixar-lhe-ia uma profunda impressão, no seu estado atual. Parece-me extremamente provável que o procure e... bem... faça-lhe confidências. É normal, para quem tem tais doenças nervosas, voltar-se contra os que lhe são mais chegados e queridos.
— É muito sério.
— Com efeito. Gosto muito de minha mulher. — Havia um tom de ternura em sua voz. — E sempre considerei que foi mui-

to corajosa por casar comigo, um homem de outra raça, e ir viver num país distante, longe dos amigos e de tudo quanto lhe era querido. Nos últimos dias tenho estado verdadeiramente atormentado... só vejo uma solução...

— Qual?

— Repouso absoluto e tratamento psicológico adequado. Há uma excelente clínica em Norfolk, dirigida por um homem competentíssimo. Quero levá-la para lá imediatamente. Repouso absoluto e isolamento total de influências exteriores, é o que necessita. Tenho certeza de que melhorará com um ou dois meses de tratamento.

— Compreendo — murmurou Poirot.

O detetive pronunciava as palavras de modo a não deixar transparecer qualquer das suas emoções.

— É por isso que, se ela o procurar, ficar-lhe-ei extremamente grato se me informar de imediato — esclareceu Tanios.

— Mas certamente! Eu lhe telefonarei. Ainda está no Durham Hotel?

— Sim. Estou indo para lá agora.

— E sua mulher não está?

— Saiu logo depois do café.

— Não lhe avisou aonde ia?

— Não disse uma única palavra. Isto não é próprio dela.

— E as crianças?

— Levou-as consigo.

— Compreendo.

Tanios levantou-se.

— Muito obrigado, Monsieur Poirot. Peço-lhe que, se lhe contar histórias imaginárias de perseguição, não a leve a sério. Infelizmente é um sintoma de sua doença.

— Lamentável — comentou Poirot.

— Com efeito. Embora saibamos, do ponto de vista médico, que isto é parte de uma doença mental conhecida, não podemos deixar de nos sentir magoados quando uma pessoa querida se volta contra nós, e todas as suas afeições transformam-se em ódio.

—Tem as minhas melhores simpatias — assegurou Poirot, apertando-lhe a mão.

Tanios encaminhou-se para a porta. Poirot dirigiu-se a ele:

— Por falar nisso...

— Sim?

— Ainda receita cloral para sua mulher?

Tanios estremeceu.

— Eu... não... talvez a princípio. Mas não ultimamente. Ela parece ter ficado com aversão a qualquer soporífero.

— Ah! Creio que por ter perdido a confiança no senhor?

— Monsieur Poirot!

Tanios adiantou-se, ofendido.

— Mas isto seria parte da doença — tranquilizou o detetive.

— Sim, sim, é claro.

— Ela provavelmente suspeita de tudo o que lhe der para comer ou beber. Talvez suspeite que pretende envenená-la.

— Meu Deus, Monsieur Poirot! O senhor tem razão. Conhece alguma coisa desses casos, não?

— Às vezes surgem na minha profissão. Mas não quero tomar o seu tempo: é possível que a encontre no hotel.

— Sim. Faço votos. Estou terrivelmente angustiado.

Retirou-se e Poirot correu ao telefone. Vasculhou as páginas do catálogo e discou um número.

— Alô, alô... é do Durham Hotel? Poderia me dizer se a sra. Tanios está? O quê? T A N I O S. Sim, está bem. Sim? Sim? Ah, compreendo.

Desligou.

— A sra. Tanios deixou o hotel pela manhã. Voltou às onze horas e esperou num táxi enquanto desciam a bagagem.

— Tanios sabe que levou a bagagem?

— Acho que ainda não.

— Para onde terá ido?

— Não sei.

— Acha que voltará aqui?

— Talvez. Não sei...

— É possível que escreva...
— É possível...
— Que podemos fazer?
Poirot balançou a cabeça, preocupado:
— Nada, por enquanto. Vamos almoçar rápido, para visitarmos Theresa Arundell.
— Acha que era ela, na escada?
— Impossível de dizer. Há uma coisa sobre a qual estou certo: A srta. Lawson não poderia ter-lhe visto o rosto. Viu uma mulher alta, no escuro, usando uma camisola preta, é tudo.
— E o broche?
— Meu bom amigo, um broche não faz parte da anatomia de uma pessoa! Pode ser perdido, emprestado e até roubado.
— Em outras palavras: você não quer acreditar que Theresa Arundell é culpada?
— O que quero é ouvir o que ela tem a dizer.
— E se a sra. Tanios voltar?
— Vou tomar as providências.
George trouxe-nos uma omelete.
— Ouça, George — disse Poirot: — Se aquela senhora voltar, peça-lhe que espere. Se o dr. Tanios voltar enquanto ela se encontrar aqui, não deixe que saiba. Se ele lhe perguntar se sua mulher está, diga-lhe que não. Compreende?
— Perfeitamente, senhor.
Poirot atacou a omelete.
— Este caso está ficando mais complicado — lamentou. — Temos de agir com muita cautela. Do contrário, o assassino atacará novamente.
— Mas se fizer, você o pegará.
— Possivelmente. Mas prefiro a vida do inocente à prisão de um criminoso. Precisamos ir com cuidado. Muito cuidado.

XXIV

O desmentido de Theresa

ENCONTRAMOS THERESA ARUNDELL preparando-se para sair.

Estava extraordinariamente atraente. Um pequeno chapéu de última moda pendia-lhe sobre um dos olhos. Lembrei-me, com alegria momentânea, que Bella Tanios usara uma imitação barata daquele chapéu, na véspera, todo puxado para trás, como observara George. Lembrei-me também do nervosismo com que o puxava ainda mais para a nuca, sobre os cabelos mal penteados.

— Poderia ter um ou dois minutos — disse Poirot delicadamente —, Mademoiselle? Ou iria atrasá-la muito?

Theresa riu-se.

— Oh, não faz mal. Estou sempre atrasada 45 minutos. Se for uma hora também não tem importância.

Levou-o para a sala de estar. Para minha surpresa, o dr. Donaldson levantou-se de uma cadeira à janela.

— Já conhece Monsieur Poirot, Rex?

— Encontramo-nos em Market Basing — disse Donaldson, secamente.

— Você fingia estar escrevendo a biografia do meu bêbado avô — assinalou Theresa. — Rex, meu anjo, você poderia nos deixar?

— Desculpe, Theresa, mas creio que, sob todos os aspectos, seria recomendável que ficasse.

Houve um breve duelo de olhares. Theresa ordenava, mas Donaldson não vacilava. Por fim, os olhos dela cederam com um brilho de cólera.

— Está bem, diabos, pode ficar.

O dr. Donaldson pareceu imperturbável.

Sentou-se na mesma cadeira, deixando o livro sobre um dos braços da mesma. Notei que tratava da glândula pituitária.

Theresa ocupou seu banco preferido, e perguntou a Poirot com impaciência:

— Então, esteve com Purvis? Obteve algum resultado?

— Há... possibilidades, Mademoiselle — respondeu o detetive.

Theresa observou-o pensativa, lançando depois um olhar disfarçado ao médico, como advertência a Poirot.

— Talvez seja melhor falarmos disso mais tarde, quando meus planos estiverem mais concretos...

Um breve sorriso iluminou o rosto da moça.

— Cheguei hoje de Market Basing — relatou Poirot —, onde conversei com a srta. Lawson. Diga-me, Mademoiselle, lembra-se de, na noite de 13 de abril, ou seja, na segunda-feira seguinte à Páscoa, ter-se ajoelhado na escada, quando todos já dormiam?

— Que pergunta, meu caro Hercule Poirot! Por que haveria de fazê-lo?

— Não lhe perguntei, Mademoiselle, por que se ajoelhou. Perguntei se havia se ajoelhado.

— Francamente não sei, embora não pareça provável.

Theresa encolheu os belos ombros:

— Mas isso tem qualquer importância?

— Muita.

A moça olhou-o de modo engraçado, e Poirot ficou impassível.

— Loucura! — exclamou Theresa.

— *Pardon?*

— Louquíssimo! Não acha, Rex?

— Desculpe, Monsieur Poirot — o dr. Donaldson pigarreou —, mas qual é o objetivo desta pergunta?

— Muito simples — revelou o meu amigo, abrindo os braços. — *Alguém* colocou um prego em determinado ponto da escada e o retocou com verniz escuro, para confundir-se com o rodapé.

— Isto seria alguma bruxaria?

— Não, Mademoiselle. É algo mais simples e banal. Na noite de terça-feira, alguém estendeu um fio do prego à balaustrada. E assim, ao sair do quarto, a srta. Arundell tropeçou nele e rolou escada abaixo.

Theresa respirou fundo:

— Foi a bola de Bob!

— *Pardon*. Não foi, não.

Fez-se uma pausa, quebrada pela pergunta do dr. Donaldson:

— Desculpe, mas que evidência tem para suportar o que diz?

Poirot respondeu-lhe com calma:

—A evidência do prego, a evidência da carta da srta. Arundell, e finalmente a evidência dos olhos da srta. Lawson.

Theresa reencontrou a voz:

— Ela diz que fui eu, não?

Poirot respondeu-lhe balançando um pouco a cabeça.

— Bem, é uma grande mentira! Não tive nada com isto!

— Estava ajoelhada na escada por outra razão qualquer?

— Eu não me ajoelhei na escada!

— Seja cuidadosa, Mademoiselle.

— Não estava lá! Não saí do quarto naquela noite.

—A srta. Lawson a reconheceu.

— Possivelmente era Bella Tanios ou uma das criadas...

— Ela diz que era a senhorita.

— Ela é uma grande mentirosa!

— Reconheceu sua camisola e um broche que usava.

— Um broche? Qual?

— Um que tem as suas iniciais.

—Ah, já sei! Que mentirosa ela é!

— Continua a negar que seja quem ela viu?

— É minha palavra contra a dela...

— Quer dizer que é mais mentirosa do que ela?...

Theresa respondeu calmamente:

—Talvez isto seja verdade. Mas, no caso, não estou mentindo. Não preparei qualquer armadilha na escada nem rezei, nem procurava ouro nem prata. Jamais estive na escada!

— Tem o broche ao qual me referi?
— Provavelmente. Quer vê-lo?
— Se não se importa, Mademoiselle...

Theresa levantou-se e saiu da sala. Houve em seguida um silêncio constrangedor, durante o qual o dr. Donaldson observou Poirot da mesma maneira que, creio eu, observaria um espécime anatômico.

— Está aqui — disse Theresa, voltando.

Quase jogou a joia sobre Poirot. Era um broche grande, cromado ou de aço, com T. A. inscrito num círculo. Tive de admitir que era suficientemente grande e vistoso para ser notado pela srta. Lawson ao espelho.

— Já não o uso. Cansei dele — revelou Theresa. — Londres está cheia deles. Qualquer empregadinha tem um.
— Mas custavam caro quando comprou?
— Sim. No começo eram muito exclusivos.
— Quando foi isto?
— Mais ou menos no último Natal.
— Alguma vez o emprestou a alguém?
— Não.
— Levou-o quando foi à Littlegreen House?
— Acho que sim... Sim, agora me lembro, levei.
— Sempre o manteve consigo, ou deixou-o em algum lugar?
— Acho que sim. Lembro-me que o usei com uma roupa verde, e de que a vesti todos os dias.
— E à noite?
— Deixei-o na roupa.
— E a roupa?
— Bolas! Ficava sobre uma cadeira!
— Tem certeza de que ninguém o tirou e recolocou-o no lugar no outro dia?
— Diremos isto num tribunal, se quiser... Se pensa que é a melhor mentira a dizer! Na verdade, tenho certeza de que nada disso aconteceu! Foi uma boa ideia para me comprometer, mas não acredito nisto!

Poirot franziu a testa. Levantou-se, colocou o broche cuidadosamente na lapela e aproximou-se de um espelho existente por sobre uma mesa. Parou, e depois recuou, devagar, avaliando os efeitos à distância.

— Que imbecil eu sou! É claro!...

Voltou e entregou o broche a Theresa, curvando-se agradecido.

—Tem razão, Mademoiselle. O broche nunca deixou de estar consigo. Eu é que fui de uma tremenda burrice!

— Gosto de gente modesta — comentou Theresa, colocando o broche em si. Olhou fixamente para ele:

— Mais alguma coisa? Preciso sair.

— Nada que não possa ser discutido mais tarde.

Theresa caminhou para a porta. Poirot prosseguiu calmamente:

— Há um problema de exumação. É verdade...

Theresa estacou e deixou cair o broche.

— O quê?!

Poirot foi claro:

— É provável que o corpo da srta. Arundell tenha de ser exumado.

Imóvel, as mãos apertadas uma à outra, Theresa perguntou em fúria:

— Isto é coisa sua? Não podem fazer isso sem licença da família!

— Engano, Mademoiselle. Bastará uma ordem do Ministério do Interior.

— Meu Deus! — exclamou Theresa, andando de um lado para o outro.

— Na verdade não vejo razão para você ficar tão aborrecida, Tessa — disse Donaldson. — Ouso dizer que, do ponto de vista de quem está de fora...

— Não seja idiota, Rex!

Poirot perguntou:

—A ideia a perturba, Mademoiselle?

— Claro que sim! Não é decente. Pobre tia Emily! Por que diabo teria de ser exumada?

— Presumo — disse Donaldson — que haja dúvidas sobre a causa da morte? — Olhava interrogativamente para Poirot, prosseguindo: — Confesso que estou surpreso. Acho indubitável que a srta. Arundell teve morte natural, após prolongada doença.

— Uma vez você me falou qualquer coisa de coelhos e doenças do fígado — lembrou Theresa. — Não me recordo bem, mas parece que você injetava num coelho o sangue de uma pessoa com icterícia, e, depois, injetando o sangue deste coelho em outro, e o sangue deste outro numa pessoa, esta pessoa ficava com icterícia...

— Isto foi apenas um exemplo de soroterapia explicou Donaldson, pacientemente.

— Pena que sejam necessários tantos coelhos! — exclamou Theresa, dando uma gargalhada. — Nenhum de nós cria esses bichos!

Virou-se para Poirot e perguntou, num tom diferente:

— É verdade, Monsieur Poirot?

— É verdade, Mademoiselle, mas há sempre maneiras de evitar isso...

— Então trate de evitar! Evite-o a *todo custo!*

Poirot levantou-se e perguntou, formalmente:

— São estas as suas instruções?

— Exatamente.

— Mas Tessa... — atalhou Donaldson.

— Cale-se! — ordenou, voltando-se para o noivo rispidamente. — Ela era ou não era minha tia? Por que uma tia minha há de ser desenterrada? Os nomes sairão nos jornais, haverá toda sorte de fofoca...

Voltando-se para Poirot, prosseguiu:

— Tem carta branca para evitar isso! Faça o que quiser, mas evite!

Poirot curvou-se delicadamente:

— Farei tudo o que puder. *Au revoir,* Mademoiselle, *au revoir,* doutor.

— Suma-se! — bradou Theresa. — E leve o São Bernardo consigo! Daria tudo para jamais lhes ter posto os olhos em cima!

Saímos. Desta vez Poirot não colou o ouvido à porta, mas demorou-se um pouco mais.

E não foi em vão. A voz de Theresa cresceu clara e provocante:

— Não me olhe desta maneira, Rex! — mas logo emendou-se: — Querido!

O dr. Donaldson respondeu-lhe com a sua precisão fria: — Aquele homem está tramando alguma coisa.

Poirot deu um sorriso largo e convocou-me: — Vamos, São Bernardo! *C'est drôle, ça!*

Pessoalmente, achei a piada de mau gosto.

XXV

Minhas reflexões pessoais

— NÃO — CONCLUÍ, correndo atrás de Poirot. Já não me restava qualquer dúvida. A srta. Arundell fora assassinada, e Theresa o sabia. Mas seria ela a criminosa ou haveria outra explicação?

Ela tinha medo. Mas por si ou por mais alguém? Poderia este alguém ser o jovem e tranquilo médico?

Teria a velha senhora morrido de uma doença artificialmente provocada?

Até certo ponto, tudo se encaixava: a ambição de Donaldson, sua crença de que Theresa herdaria o dinheiro por morte da tia e até o fato de ter jantado na Littlegreen House na noite da queda. Como seria fácil deixar uma janela aberta convenientemente e voltar na calada da noite para colocar o fio assassino na escada. Mas como explicar a colocação do prego?

Não. Theresa deve tê-lo feito. Theresa, sua noiva e cúmplice. Com os dois trabalhando em dupla, tudo parecia claro e simples. E se fosse assim, talvez Theresa também tivesse colocado o fio. O *primeiro* crime, que fracassara, fora *trabalho dela*. O segundo crime, que teve êxito, foi obra científica do dr. Donaldson.

Sim. Tudo se encaixava bem.

No entanto, havia alguns fios soltos. Por que Theresa haveria levantado a história sobre os coelhos e fígado? Foi como quase não soubesse a realidade... Mas, nesse caso... Fiquei tão confuso que interrompi minhas especulações para perguntar:

— Aonde vamos, Poirot?

— Ao meu apartamento. Talvez encontremos a sra. Tanios.

Foi bastante para que meus pensamentos tomassem outro rumo.

A sra. Tanios! Outro mistério! Se Donaldson e Theresa fossem culpados, onde entravam a sra. Tanios e o marido? O que teria ela para dizer a Poirot; e qual a razão da ansiedade de Tanios para evitar que isto acontecesse?

— Poirot — disse, humildemente — cada vez fico mais confuso. Não foram *todos* eles, não é?

— Assassinato por um sindicato? Um sindicato familiar? Não, desta vez não. Há nisto tudo a marca de um cérebro, e de apenas um. A psicologia é muito clara.

— Quer dizer que ou Theresa ou Donaldson o cometeram? Nunca os dois? Então ele a fez colocar o prego sob qualquer pretexto inocente?

— Meu querido amigo, desde que ouvi a história da srta. Lawson examinei três possibilidades: 1) Que a srta. Lawson dissera a pura verdade; 2) que inventara a história por motivos pessoais; 3) que a srta. Lawson realmente acreditara na sua própria história, mas sua identificação baseava-se no broche e, como já lhe disse, é fácil tirar um broche do seu dono.

— Sim, mas Theresa insiste que sempre esteve com o broche.

— E tem razão. Passara-me despercebido um pequeno detalhe, mas extremamente importante.

— Isto não é próprio de você, Poirot — declarei, solenemente.

— *N'est ce pas?* Mas todos nós cometemos erros.

— É a idade...

— A idade não conta no caso — disse Poirot friamente.

— Bem, qual o detalhe importante? — perguntei, quando chegamos ao prédio.

— Já mostro.

George abriu-nos a porta e balançou a cabeça negativamente à pergunta de Poirot.

— Não, senhor, a sra. Tanios não veio nem telefonou.

Poirot foi para a sala e começou a andar de um lado para o outro. Finalmente, pegou no telefone e discou para o Durham Hotel.

— Sim, sim, por favor... dr. Tanios? Fala Hercule Poirot. Sua mulher voltou?... Não... Meu Deus! Levou a bagagem?... E os filhos? Não faz ideia para onde foi?... Sim, perfeitamente Os meus serviços profissionais não lhe poderão ser úteis? Tenho certa experiência de situações semelhantes. Pode-se agir discretamente... Não, claro que não... Sim, isto é verdade... Certamente, certamente... Respeitarei os seus desejos.

Desligou, pensativo.

— Não sabe onde ela está, e pareceu-me sincero. A angústia de sua voz não era fingida. Não quer pedir ajuda à Polícia, o que é compreensível; mas também não quer o meu auxílio, o que já não é tanto... Deseja encontrá-la, mas que não seja eu a fazê-lo... Não, definitivamente ele não quer que eu a encontre. Acha que ela não pode se esconder por muito tempo, já que tinha pouco dinheiro. Além disso, está com os filhos. Sim, talvez a encontre depressa. Mas creio, Hastings, que seremos um pouco mais rápidos do que ele. É importante que seja assim.

— Acha que esteja realmente um pouco biruta? — perguntei.

— Acho que está no máximo da excitação nervosa.

— Mas não tanto que precise ser internada numa clínica?

— Não. Isso não.

— Devo confessar, Poirot, que não estou entendendo.

— Se me perdoa, Hastings, acho que não entende nada!

— Parece que há tantos desvios!

— Naturalmente que existem desvios. Para separar o caminho principal dos laterais, é preciso, antes de tudo, ordenar o pensamento.

— Diga-me, Poirot: desde o princípio você percebeu que havia *oito* possíveis suspeitos e não sete?

— Considerei esta possibilidade desde que Theresa Arundell declarou não ter visto Donaldson pela última vez quando jantou na Littlegreen House, a 14 de abril.

— Não entendo...

— Não entende o quê?

— Se Donaldson planejou livrar-se da srta. Arundell por meios científicos... digamos inoculação... não entendo porque ele recorreu a um estratagema tão grosseiro quanto o do fio na escada.

— *En verité*, Hastings, há momentos em que você me faz perder a paciência. Um método é altamente científico, necessitando de conhecimentos específicos. Não é assim?

— Sim.

— Outro método é simples e caseiro. Não é?

— Exatamente.

— Então pense, Hastings. Pense. Sente-se na sua poltrona e use aquelas células cinzentas.

Obedeci. Reclinei-me na poltrona, fechei os olhos e tentei cumprir a terceira ordem de Poirot. O resultado, entretanto, não clarificou muito o assunto.

Ao abrir os olhos, Poirot me observava como uma enfermeira olha um paciente da pediatria.

— *Eh bien?*

Fiz uma tentativa desesperada de emular suas maneiras:

— Quem pensou na primeira armadilha não era capaz de usar um método científico.

— Exatamente.

— E duvido que um cérebro treinado para atividades científicas tivesse uma ideia tão infantil como a do fio. Seria confiar muito na sorte.

— Excelente raciocínio.

Prosseguiu, encorajado:

— Portanto, a única solução lógica parece ser a seguinte: os dois atentados foram planejados por pessoas diferentes. Os criminosos são dois.

— Não acha muita coincidência?

— Você mesmo disse uma vez que em todo crime de morte há uma coincidência.

— Devo concordar com a veracidade disto.

— Então...

— E quem são os seus vilões?

— Donaldson e Theresa Arundell. O médico me parece de encomenda para o assassinato bem-sucedido. De outra parte, sabemos que Theresa Arundell está envolvida na primeira tentativa. Podem ter agido independentemente.

— É engraçada esta simpatia que você tem pela palavra *sabemos*, Hastings. Posso assegurar-lhe que, saiba o que você souber, não sei se Theresa está envolvida.

— Mas e a história da srta. Lawson?

— A história da srta. Lawson é a história da srta. Lawson. Só isso.

— Mas ela diz...

— Ela diz... ela diz... Por que você está sempre pronto a ter como comprovado o que os outros dizem? Agora, escute, *mon cher:* eu lhe disse que havia alguma coisa de errado na história da srta. Lawson, não?

— Sim, lembro-me de que você disse isso. Mas não conseguia saber o que era.

— Mas sei agora. Espere um momento que lhe mostro. Se eu não fosse imbecil, tê-lo-ia notado imediatamente.

Encaminhou-se até a escrivaninha e, abrindo uma gaveta, pegou um cartão. Cortou-o com uma tesoura, fazendo-me sinal para não olhar.

— Paciência, Hastings. Iniciaremos nossa experiência já, já.

Obedeci. Em um minuto ou dois, Poirot soltou uma exclamação satisfeita. Deixou de lado a tesoura, jogou o resto do papel no cesto, e aproximou-se de mim.

— Não olhe ainda. Mantenha os olhos distantes enquanto eu coloco uma coisa na sua lapela.

Atendi-o. Poirot completou o procedimento, com satisfação, e em seguida, colocando-me de pé, levou-me ao seu quarto.

— Agora, Hastings, observe-se ao espelho. Está usando um belo broche com as suas iniciais. Claro, não é de aço inoxidável nem de ouro, mas de cartolina.

Olhei-me no espelho e sorri. Poirot tem muita habilidade manual, e eu usava uma excelente imitação do broche de Theresa. Um cartão circular, tendo no centro as minhas iniciais. A. H.

— *Eh bien,* está satisfeito? Dei-lhe um elegante broche com as suas iniciais, não é?

— Lindo! — concordei.

— Não brilha com a luz, mas ainda assim você concorda que pode ser visto de longe?

— Nunca duvidei.

— Muito bem. A dúvida nunca foi o seu forte. Você sempre se inclina para a boa-fé. Por favor, amigo, agora tire o casaco.

Intrigado e admirado, obedeci. Poirot tirou o seu casaco, vestindo o meu, e afastou-se um pouco.

— Agora — disse ele — repare como o broche com as suas iniciais me cai.

Observei-o, sem compreender logo.

— Mas que imbecil eu sou! Claro, é H. A., no broche. Nunca A. H.

Poirot me bateu nas costas, tirando o casaco e recolocando o seu.

— Exatamente. Percebe agora o que me pareceu de errado na história da srta. Lawson? Ela garantiu que vira claramente as iniciais de Theresa, e que viu a moça no espelho. Portanto, se realmente viu as iniciais, viu-as ao contrário.

— É possível que sim — arguí —, mas também pode ter notado que estavam ao contrário.

— Por acaso, *mon cher,* isto ocorreu a você? Teria exclamado: "Poirot, você recortou as letras ao contrário!" Mas não. E, no entanto, você é bem mais inteligente do que a srta. Lawson. Não me diga que uma mulher como aquela, e, além do mais quase dormindo, perceberia que o A. T. que via, na verdade era T. A.! Não, isto não se enquadra na mentalidade da srta. Lawson.

— Ela estava determinada que fora Theresa — disse eu, vagarosamente.

— Está chegando perto, meu amigo. Lembra do que aconteceu quando insinuei que não podia ter visto o rosto de ninguém na escada... o que ela fez, imediatamente?

— Lembrou-se do broche, esquecendo do simples fato de que, só de vê-lo no espelho, a história caía por terra.

O telefone tocou e Poirot foi atender.

Suas palavras foram de pouca significação: — Sim... com certeza... sim, muito conveniente... à tarde, creio. Sim, às duas horas.

Desligou e encarou-me, sorrindo:

— O dr. Donaldson quer falar comigo! Virá aqui amanhã, às duas da tarde. Progredimos, *mon ami,* progredimos!

XXVI

A sra. Tanios recusa-se a falar

AO CHEGAR NA MANHÃ seguinte, após o café, encontrei Poirot trabalhando na escrivaninha.

Acenou um cumprimento, continuou sua tarefa. Em seguida pegou as folhas de papel, guardou-as num envelope e fechou-o cuidadosamente.

— Bem, meu velho, que anda fazendo? — perguntei. — Escreve um relato do caso para ser guardado num cofre, em caso de lhe "cuidarem um dia da saúde?"

— Sabe, Hastings, não está tão errado quanto pensa.

Estava sério.

— Seu assassino é realmente perigoso?

— Todo assassino é perigoso. Engraçado é que isto é sempre muito esquecido.

— Novidades?

— O dr. Tanios telefonou.

— Ainda não sabe da mulher?

— Não.

— Então está tudo bem.

— Duvido.

— Ora, Poirot, você não pensa que ele "tratou da saúde dela" não é?

Poirot abanou a cabeça, em dúvida.

— Confesso — murmurou — que gostaria de saber onde ela está.

— Ela aparece.

— Hastings, esse seu maravilhoso otimismo me encanta!

— Por Deus, Poirot... Não irá aparecer esquartejada numa mala?

— Acho que o dr. Tanios está ansioso demais... Mas só isso. Vamos primeiro ver a srta. Lawson.

— Vai mostrar-lhe o erro do broche?

— Absolutamente! Este detalhezinho é para a minha manga, para o momento oportuno.

— Então, que vai lhe dizer?

— Na hora você verá.

— Mais mentiras, suponho?

— Às vezes você chega a ofender, Hastings. Quem o ouvisse pensaria que gosto de mentiras.

— Estou quase convencido de que sim... ou melhor, tenho certeza.

— É verdade que às vezes me cumprimento pela minha ingenuidade...

Não pude conter o riso, Poirot observou-me, ofendido, e rumamos para as Clanroyden Mansions.

Fomos levados para a mesma sala atravancada, e logo surgiu a srta. Lawson, mais incoerente do que nunca.

— Oh, Deus, Monsieur Poirot, bom dia! Está tudo desarrumado nesta manhã, mas desde que Bella chegou...

— O que disse? Bella?

— Sim, Bella Tanios. Ela chegou há cerca de meia hora, com as crianças. Estava completamente exausta, coitadinha. Não sei o que fazer. Deixou o marido, sabe?

— Deixou-o?

— Foi o que disse. Não duvido que tenha suas razões, pobrezinha...

— Fez-lhe confidências?

— Bem, não se pode dizer que sim. Na verdade, não diz nada. Só diz que o deixou, e nada a fará voltar.

— Um passo muito grave!

— Claro! Na verdade, se fosse um inglês, eu a teria aconselhado... mas, como não é... e ela parece tão estranha... tão *assustada*. Que lhe terá feito? Os turcos às vezes são muito cruéis.

— O dr. Tanios é grego.
— Bem, esses são ao contrário... quero dizer, sempre os gregos são massacrados pelos turcos... ou serão os armênios? Mesmo assim, não gosto nem de pensar nisto. Não creio que ela deva voltar para ele, não é? De qualquer modo diz que não... Não quer nem que ele saiba onde ela está.
— Tão mal assim?
— Sabe... há as crianças... Bella teme que o marido as leve para Smyrna... Pobrezinha, seu estado é terrível. Não tem dinheiro, não sabe para onde ir nem o que deve fazer. Quer trabalhar, mas isto não é fácil como parece. Eu que o diga! Além do mais, não tem prática!
— Quando abandonou o marido?
— Ontem. Passou a noite num hotelzinho perto de Faddington, e veio procurar-me porque não se lembrou de mais ninguém.
— E a senhora vai ajudá-la? É muita generosidade...
— Compreende, Monsieur Poirot, este é o meu dever. Mas será difícil: o apartamento é pequeno, não tem muito espaço...
— Por que não a manda para a Littlegreen House?
— O marido poderia lembrar-se disto... Por hora, reservei-lhe aposentos no Wellington Hotel, na Queen's Road. Registrou-se com o nome de sra. Peters.
— Compreendo. Gostaria de falar com ela. Procurou-me ontem, mas eu não estava em casa.
— Foi? Não me disse nada. Avisá-la-ei, está bem?
— Se tiver a bondade...
A srta. Lawson retirou-se rapidamente. Pudemos ouvi-la dizer:
— Bella, Bella, minha querida... Venha ver Monsieur Poirot!
Não ouvimos a resposta da sra. Tanios, mas, um ou dois minutos depois, ela chegou à sala.
Fiquei realmente chocado com a sua aparência. Estava com olheiras enormes e o rosto completamente destituído de cor. O que mais me chocou, entretanto, foi a sua expressão de pavor. Estremecia por qualquer coisa e parecia estar sempre à escuta.

Poirot cumprimentou-a com a maior cortesia. Chegou-se à frente, apertou-lhe a mão, puxou-lhe uma cadeira e tratou-a como se fosse uma rainha.

— E agora, madame, vamos ter uma pequena conversa. Procurou-me ontem, não foi?

Ela assentiu.

— Lamento muito; não estava em casa.

— Sim, sim. Quisera que estivesse lá.

— Queria contar-me alguma coisa?

— Sim... eu... eu...

— *Eh bien,* cá estou, a seu serviço!

A sra. Tanios não respondeu. Ficou sentada, imóvel, girando um anel no dedo.

— Bem, madame?

De maneira lenta, quase relutante, ela balançou a cabeça.

— Não! — disse ela. — Não devo!

— Não deve, madame?

— Não. Se ele souber... ele... alguma coisa me acontecerá!

— Vamos, vamos, madame. É um absurdo!

— Não é absurdo nenhum. O senhor não o conhece...

— Fala no seu marido, madame?

— Sim, claro.

Poirot fez um silêncio momentâneo e prosseguiu:

— Seu marido me procurou ontem, madame.

A sra. Tanios aparentou estar alarmada.

— Oh, não! O senhor não lhe disse... claro que não! Não disse onde eu estava... Ele disse... que eu estava louca?

Poirot respondeu cautelosamente.

— Disse que a senhora estava muito nervosa.

Ela balançou a cabeça, desconfiada.

— Não. Ele disse que eu estava louca... ou que estava para ficar! Quer me calar, para que não possa contar a ninguém.

— Contar o quê?

Ela, entretanto, sacudiu a cabeça. Esfregando os dedos nervosamente, murmurou:

— Tenho medo...
— Mas, madame! Uma vez que me conte, está em segurança! O segredo acabará, e este fato a protegerá.

Ela não respondeu. Continuou girando o anel.

— A senhora precisa...
— Como vou saber... Oh, Deus, é terrível. Ele é tão plausível! Além do mais, é médico! Acreditarão mais nele do que em mim. Sei que será assim. Eu mesma o faria. Ninguém vai me acreditar.

— Não me daria uma chance?

Lançou-lhe um olhar confuso.

— Como posso saber? Pode estar do lado dele...
— Não estou do lado de ninguém, madame. Estou sempre ao lado... da verdade.

Ela prosseguiu. A voz crescia, uma palavra atropelando a outra.

— Foi horrível, já faz anos. Vi coisas acontecerem. Não disse nada nem fiz nada. Havia as crianças. Foi um longo pesadelo. E agora isto... Mas não volto para ele. Não o deixarei ficar com as crianças! Irei para onde não me possa encontrar. Minnie Lawson me ajudará. Tem sido tão boa para mim... Ninguém poderia ser melhor.

Interrompeu-se, olhou Poirot e prosseguiu:

— O que lhe disse de mim? Disse-lhe que tinha manias?
— Disse, madame, que mudara para com ele.

Ela assentiu.

— E disse que tinha manias. Disse, não?
— Sim, madame.
— Então é assim... e eu não tenho prova. Nenhuma prova...

Poirot reclinou-se na poltrona. Quando voltou a falar, mudara completamente de atitude.

Falou factualmente, como se tratasse de negócios, friamente:

— Suspeita que seu marido tenha matado a srta. Emily Arundell?

Sua resposta foi rápida. Iluminou-se:

— Não suspeito. Sei.
— Então, madame, tem a obrigação de falar.

— Ah, mas não é fácil. Não, não é fácil!
— Como a matou?
— Não sei exatamente. Mas matou-a.
— Não sabe o método empregado?
— Não. Foi qualquer coisa... algo que fez no domingo.
— No domingo em que a visitou?
— Sim.
— Mas não sabia o que era?
— Não.
— Bem, desculpe, madame, mas o que lhe dá tanta certeza?
— Porque ele... Tenho certeza!
— *Pardon,* madame, mas está me escondendo alguma coisa? Algo que ainda não me contou?
— Sim.
—Vamos, então.

Bella Tanios levantou de repente.
— Não, não. Não posso fazê-lo. As crianças. Ele é *seu* pai. Não posso, não posso.
— Mas, madame.
— Estou lhe dizendo, não posso.

Sua voz quase virou um grito. A porta se abriu e a srta. Lawson entrou, com a cabeça inclinada, cheia de curiosidade.
— Posso entrar? Acabaram a conversa? Bella, querida, não quer um chá, ou uma sopa, ou talvez um *brandy*?

A sra. Tanios balançou a cabeça.
— Estou bem. — Sorriu. — Devo voltar para as crianças. Deixei-os desfazendo as malas.
— Coisinhas lindas — comentou a srta. Lawson. — Gosto tanto de crianças!

A sra. Tanios voltou-se para ela de repente.
— Não sei o que seria sem você. Tem sido tão maravilhosa!
— Calma, calma, querida. Não chore. Tudo estará bem. Você consultará meu advogado: um homem bom e simpático. Ele saberá orientar o divórcio. Isto agora é muito simples, não é? Oh, querida, tocam a campainha. Quem será?

A srta. Lawson deixou a sala rapidamente. Ouviu-se um murmúrio no hall. Ela reapareceu, nas pontas dos pés e fechou a porta. Sussurrou exageradamente:

— Oh, Bella, é o seu marido. Não sei...

A sra. Tanios correu para uma outra porta na outra ponta da sala. A srta. Lawson balançou a cabeça vigorosamente.

— Está bem, entre. Esconda-se enquanto eu o trago para cá.

A sra. Tanios sussurrou:

— Não diga que estou aqui. Não diga que me viu.

— Não, não. Claro que não.

A sra. Tanios desapareceu. Poirot e eu a imitamos, indo para a sala de jantar menor.

Poirot entreabriu uma porta e escutou. Em seguida, voltou.

— Tudo limpo. A srta. Lawson levou-o para outra sala.

Atravessamos o hall e saímos pela porta da frente. Poirot fechou-a sem o menor ruído.

A sra. Tanios começou a descer apressada, tropeçando e segurando-se no corrimão. Poirot amparou-a:

— *Du calme, du calme!* — recomendou.

Chegamos ao hall de entrada.

— Siga-me — disse a sra. Tanios, quase desmaiando, ao chegarmos ao patamar.

— Certamente — tranquilizou-a Poirot.

Atravessamos a rua, dobramos uma esquina e chegamos a Queen's Road. O Wellington era um hotel pequeno, comum, do tipo pensão.

Entrando, a sra. Tanios deixou-se cair num sofá, a mão ao coração.

— Foi a conta — murmurou Poirot, batendo-lhe num ombro. — Agora, madame, ouça bem o que lhe vou dizer.

— Não posso contar-lhe mais nada, Monsieur Poirot. Não seria correto. Sabe o que penso... o que creio.. é o bastante.

— Pedi-lhe que me ouvisse, madame. Suponhamos que já conheço a verdade dos fatos. Trata-se apenas de uma suposição. Suponha que eu já saiba o que queria dizer. Seria diferente, não acha?

A sra. Tanios observou-o duvidosa, como se sentisse uma dor insuportável.

— Acredite, madame, não estou tentando enganá-la. Faria *diferença*, não?

— Acho que sim.

— Ótimo. Então deixe-me dizer: eu, Hercule Poirot, sei a verdade. Peço-lhe que aceite minha palavra. — Colocou-lhe no colo o envelope que eu vira ser fechado pela manhã. — Os fatos estão aí. Depois de lê-los, se estiver satisfeita, telefone-me.

Relutante, ela aceitou o envelope.

Poirot prosseguiu, bruscamente:

— E agora, outra coisa: deve deixar este hotel imediatamente.

— Mas por quê?

—Vá para o Coniston Hotel, perto de Euston. E não conte a ninguém.

— Mas é claro que Minnie Lawson não diria ao meu marido onde estou.

— Acha que não?

— Oh, não. Ela está do meu lado.

— Sim, mas seu marido, madame, é um homem muito esperto. Não lhe será difícil interrogar uma senhora de meia-idade. É fundamental que seu marido não saiba onde está.

Ela assentiu, hesitando.

— Eis o endereço. Faça as malas e vá para lá com as crianças, logo que possível. Compreende?

Assentiu novamente.

— Compreendo.

— É nas crianças que precisa pensar, madame. Não na senhora. Sei que ama os seus filhos.

Poirot atingira o alvo.

Seu rosto assumiu alguma cor, sua cabeça inclinou-se para trás. Ela pareceu, de repente, uma mulher bonita.

— Está combinado, então.

Apertaram-se as mãos e partimos. Não fomos longe. Ocultos num café conveniente, observamos a entrada do hotel. Não passaram cinco minutos e vimos o dr. Tanios na rua. Sua cabeça estava inclinada para a frente, pensativa, e nem olhou para o Wellington. Passou e entrou pela estação do metrô.

Dez minutos depois vimos a sra. Tanios entrar num táxi com sua bagagem.

— *Bien* — disse Poirot, levantando a conta. — Fizemos nossa parte. Agora é a vez dos deuses.

XXVII

Visita do dr. Donaldson

DONALDSON CHEGOU pontualmente às duas. Estava mais calmo e preciso do que nunca.

O caráter do dr. Donaldson começara a me intrigar. Começara por imaginá-lo um jovem vulgar. Perguntara-me porque Theresa, uma criatura tão vivaz, gostara dele. Mas agora começava a ver que Donaldson não era uma nulidade, que havia força atrás daquela máscara.

Tão logo os cumprimentos preliminares acabaram, Donaldson disse:

— A razão de minha visita é a seguinte: não entendo a sua posição em tudo isto, Monsieur Poirot.

O detetive replicou cautelosamente:

— Conhece a minha profissão, não?

— Certamente. Devo dizer que tivemos a preocupação de saber quem é.

— É um homem cuidadoso, doutor.

— Gosto de ter a certeza dos fatos — respondeu.

— Ter uma visão científica!

— Devo dizer que todas as informações sobre o senhor são iguais. É um homem competente. Tem também a reputação de ser escrupuloso e honesto.

— Isto me lisonjeia — murmurou Poirot.

— É por esta razão que não consigo perceber onde entrou neste caso.

— Entretanto é simples...

— Não me parece. Inicialmente, apresentou-se como escritor de biografias...

— Uma pequena e perdoável mentira, não concorda? Não podemos dizer aos sete ventos que somos detetives, embora isto muitas vezes tenha as suas vantagens.

— Deveria ter imaginado — comentou o médico, voltando à secura. — Em seguida — lembrou — apresentou-se a Theresa e deu-lhe a entender que o testamento da sua tia poderia ser contestado.

Poirot balançou a cabeça, concordando.

Donaldson afirmou categoricamente:

— É claro que foi uma atitude ridícula. Sabia, e sabe, muito bem, que o documento é totalmente legal, e que nada poderá anulá-lo.

— Tem certeza disto?

— Não sou nenhum tolo, Monsieur Poirot.

— Não, dr. Donaldson. Tenho a mais plena certeza de que não.

— Conheço alguma coisa a respeito de leis. Não muito, mas o bastante para ter certeza de que jamais poderá anular o testamento. Por que indicou o contrário? Por motivos pessoais, e de que a srta. Theresa Arundell jamais suspeitou.

— Parece conhecer bem as suas reações...

Um leve sorriso passou pelo rosto do jovem médico, que respondeu inesperadamente:

— Sei muito mais sobre Theresa do que ela possa suspeitar. Não tenho dúvidas de que ela e Charles o contrataram para um serviço questionável. Charles é quase completamente amoral: Theresa tem problemas desde o berço...

— É assim que fala de sua noiva? Como se fosse uma cobaia?

Donaldson observou Poirot através de seu *pincenê*:

— Não vejo razão para ignorar a verdade. Amo Theresa Arundell pelo que ela é, e não por quaisquer virtudes imaginárias.

— Entende que a srta. Theresa está apaixonada pelo senhor e que todo este desejo de dinheiro se deve principalmente à sua vontade de realizar suas ambições?

— Claro que sim. Já lhe disse que não sou tolo. Mas não pretendo permitir que Theresa se deixe levar para uma situação complicada por minha causa. Em muitos sentidos, minha noiva não passa de uma criança. Porém, quanto a mim, julgo-me perfeitamente capaz de fazer carreira pelo meu próprio esforço. Não quero dizer que uma herança não ajudaria, porém não seria mais do que um atalho.

— Então tem plena confiança no seu talento?

— Pode parecer presunção, mas tenho.

— Deixe-me prosseguir, porém. Confesso ter ganho a confiança da srta. Theresa Arundell através de um artifício, deixando-a pensar que seria... digamos... razoavelmente desonesto. Ela acreditou nisto sem a menor dificuldade.

— Theresa acha que todo mundo faria qualquer coisa por dinheiro.

— Exatamente. E não só ela, como também o irmão.

— Charles provavelmente *faria* tudo por dinheiro!

— Vejo que não tem qualquer ilusão a respeito do seu futuro cunhado.

— Não. Acho que valeria até um estudo. Acho que dentro dele há uma neurose profundamente entranhada. Mas não saiamos do ponto em discussão. Perguntei a mim mesmo por que o senhor teria agido daquela maneira. Encontrei apenas uma resposta: suspeita de que Theresa ou Charles Arundell tenham alguma coisa a ver com a morte da srta. Emily Arundell. Não, não, por favor não se dê ao trabalho de me contradizer. Aquela alusão ao cadáver, para mim foi apenas um estratagema para ver como Theresa reagiria. Já deu, por acaso, qualquer passo para obter a licença do Ministério do Interior?

— Para ser franco, não.

— É o que pensava. Acho que considerou a possibilidade de a srta. Arundell ter tido morte natural?...

— Considerei a possibilidade de poder parecer que tenha sido assim.

— Então já tem opinião formada?

— Certamente! Se o senhor tiver um caso de, digamos, tuberculose, que pareça tuberculose, tenha tudo de tuberculose, e que os laboratórios indiquem tuberculose, qual o seu diagnóstico? Tuberculose, não é?

— Acha isto? Então, o que está esperando?

— Estou esperando pela prova final.

O telefone tocou. A um gesto de Poirot, atendi, reconhecendo a voz.

— Capitão Hastings? Aqui é a sra. Tanios. Diga a Monsieur Poirot que ele tinha toda razão e que, se vier aqui amanhã às dez horas, dou-lhe o que quer.

— Amanhã, às dez?

— Sim.

— Muito bem, darei o recado.

Os olhos de Poirot enviaram-me uma pergunta. Assenti.

Poirot voltou-se para Donaldson, inteiramente mudado. Foi brusco:

— Deixe-me dizer-lhe claramente. Diagnostiquei este caso como assassinato. Pareceu assassinato, tinha todas as características disto. Na verdade, é um assassinato. Disto não tenho a menor dúvida.

— Onde então está a dúvida?

— A dúvida está na identidade do assassino. No entanto, tal dúvida já não existe.

— Realmente? Sabe quem é?

— Digamos que amanhã terei em mãos a última prova.

O dr. Donaldson levantou as sobrancelhas de modo irônico.

— Ah! Amanhã! Muitas vezes, Poirot, amanhã é muito demorado...

— Ao contrário — disse Poirot. — Sempre achei que se segue a hoje, com uma monótona regularidade.

Donaldson sorriu, levantando-se.

— Lamento ter-lhe tomado seu tempo, Monsieur Poirot.

— Nada disso. Sempre é bom nos entendermos.

Com uma leve curvatura, o dr. Donaldson retirou-se.

XXVIII

Mais uma vítima

— LÁ VAI UM homem esperto — comentou Poirot, pensativo.
— É difícil dizer o que pretende.
— Sim. Um tanto desumano, mas extremamente perspicaz.
— Aquele telefonema era da sra. Tanios.
— Compreendi.
Dei-lhe o recado, e Poirot conferiu-me sua aprovação.
— Ótimo, tudo vai bem. Vinte e quatro horas, Hastings, e acho que saberemos exatamente onde estamos.
— Continuo um pouco confuso. De quem suspeita exatamente?
— Gostaria de saber de quem *você* suspeita, Hastings. Creio que de todo mundo...
— Às vezes acho que você gosta de me manter em suspense!
— Não, não me divertiria desta maneira.
— Não me surpreenderia, contudo.
Poirot balançou a cabeça, desligando-se.
— Alguma novidade? — perguntei.
— Amigo, sempre fico nervoso ao final de um caso.
Se alguma coisa não der certo...
— E há alguma coisa que possa não dar certo?
— Não creio. Acho que tomei todas as providências para evitar isto.
— Então, que tal esquecer o crime e assistir a um *show*?
— *Ma foi,* Hastings, que excelente ideia!
Passamos uma noite muito agradável, embora eu cometesse o erro de levar Poirot a uma peça policial. Aconselho a todos os meus

leitores: nunca levem soldados a espetáculos de guerra, marinheiros a espetáculos sobre navios, escoceses a peças escocesas, ou detetives a policiais. E se for um ator, não o levem a nenhum! O efeito da crítica destrutiva é, em todos os casos, verdadeiramente devastador. Poirot não deixou de reclamar contra a deficiência da psicologia e quase enlouqueceu com a falta de ordem e de método do detetive. Quando nos despedimos, Poirot ainda explicava como a peça deveria ter sido conduzida na primeira metade do primeiro ato.

— Mas nesse caso não teria havido peça — comentei.

Poirot sentiu-se forçado a admitir que assim seria.

Passava um pouco das nove quando entrei na sala, na manhã seguinte. Poirot estava tomando café, e como sempre abrindo suas cartas. O telefone tocou, e eu atendi.

— Monsieur Poirot? — perguntou uma voz feminina e ofegante do outro lado. — Oh, é o senhor, Capitão Hastings.

Ouvi um soluço.

— É a srta. Lawson? — perguntei.

— Sim, sim! Aconteceu uma coisa horrível!

Segurei com firmeza o telefone.

— O que foi?

— Ela deixou o Wellington... Bella, o senhor sabe. Passei por lá na tarde de ontem e disseram-me que tinha ido embora. Nem me avisou nada! Extraordinário! Até compreendi porque o marido, Tanios, poderia estar certo, afinal de contas. Ele falou tão delicadamente sobre ela e pareceu tão preocupado, que tudo agora parece fazer sentido.

— Mas afinal o que aconteceu, srta. Lawson? Telefonou apenas para me dizer que ela saiu do hotel sem lhe falar nada?

— Oh, não, não! Se fosse só isto, não me preocuparia, muito embora, é claro, eu estranhasse. O dr. Tanios disse recear que ela não estivesse... não estivesse... o senhor sabe. Mania de perseguição, ele disse.

— Sim? (Mulherzinha miserável!) Mas afinal o que aconteceu?

— Oh, Deus, foi horrível. Morreu dormindo. Tomou uma dose excessiva de pílulas para dormir. E aquelas crianças? Tudo parece tão horrível! Eu só pude chorar, desde que soube!

— Como soube? Conte-me logo.

Verifiquei, pelo canto dos olhos, que Poirot tinha parado de abrir as cartas e me observava com atenção. Não o chamei para o meu lugar ao telefone porque, se o fizesse, a srta. Lawson recomeçaria as lamentações.

— Telefonaram-me do hotel, do Coniston. Acho que encontraram na mala dela o meu nome e endereço. Oh, caro Monsieur Poirot... quero dizer, sr. Hastings, não é terrível? As pobres crianças ficaram sem mãe!

— Ouça bem: tem certeza de que foi acidente? Não terá sido suicídio?

— Que ideia pavorosa, Capitão Hastings! Não sei... Acha que poderia ter sido? Então seria *terrível*... Claro que ela estava muito deprimida, mas não precisava. Pelo menos por causa de dinheiro. Eu ia cuidar disso, dividir com ela. Tenho certeza de que a srta. Arundell queria que eu fizesse isto. É horrível pensar que ela acabou com a própria vida... No hotel, todo mundo acha que foi acidente...

— O que ela tomou?

— Uma daquelas coisas para dormir. Veronal, creio. Não, não: cloral. Foi isto mesmo. Oh, meu Deus, Capitão, o senhor acha...?

Sem a menor cerimônia, bati o telefone. Voltei-me para Poirot:

— A sra. Tanios...

Ele levantou a mão:

— Sim, sim, sei o que vai dizer. Ela morreu, não?

— Sim. Tomou uma dose excessiva de pílulas. Cloral.

Poirot levantou-se.

— Vamos, Hastings. Temos que ir lá logo.

— Era o que você receava ontem, quando disse que sempre ficava nervoso quando os casos caminhavam para o fim?

— Sim, eu temia que houvesse outra morte.

Poirot ficou sério e calado. No caminho, falamos muito pouco, e vez por outra ele balançava a cabeça.

— Acha que foi acidente? — perguntei timidamente.

— Não, Hastings, não. Não foi acidente.

— Como é que ele descobriu para onde ela tinha ido?

Poirot limitou-se a balançar a cabeça, sem responder.

O Coniston era um hotel de aspecto meio desagradável, perto da estação de Euston. Munido de seu cartão e com ar arrogante, logo Poirot chegava ao escritório do gerente.

Os fatos eram bem simples.

A sra. Peters (como ela se havia registrado) e as crianças tinham chegado ao meio-dia e meia. Almoçaram à uma da tarde. Às quatro, um homem chegou com uma carta para ela. Poucos minutos depois ela desceu com as duas crianças e uma mala. As crianças foram-se com o visitante. A sra. Peters fora à recepção e informara que ficaria com apenas um quarto a partir daquele momento. Não parecera excepcionalmente preocupada ou aborrecida. Até pelo contrário, estava bem calma. Jantou mais ou menos às sete e meia e pouco depois recolheu-se ao quarto.

Na manhã seguinte, a camareira a encontrou morta.

Chamaram um médico, que disse que estava morta desde algumas horas antes, e o copo vazio encontrado à cabeceira parecia indicar que tomara uma dose excessiva de pílulas para dormir. O hidrato de cloral, segundo o médico, é uma substância duvidosa. Nada indicava suicídio. Não havia nenhuma carta, apenas um cartão com o nome e endereço da srta. Lawson, a quem telefonaram em seguida.

Poirot perguntou se tinham encontrado cartas ou papéis, exemplificando com a carta trazida pelo homem que levara as crianças.

O gerente informou que não tinham encontrado nada, mas na lareira havia muito papel queimado.

Tanto quanto se podia saber, a sra. Peters não recebera visitas e ninguém estivera no seu quarto, com a única exceção do homem que levara as crianças.

Eu mesmo perguntei ao porteiro sobre a aparência do homem, mas tive uma resposta vaga. Um homem de estatura mediana, louro (não tinha muita certeza), porte militar e, sem dúvida, sem barba.

— Não foi Tanios — murmurei para Poirot.

— Meu caro Hastings! Você realmente acredita que a sra. Tanios, depois de toda a confusão para isolar as crianças do pai, iria simplesmente entregá-las ao marido sem o menor protesto? Ah, isso não!

— Então quem era o homem?

— Óbvio que era alguém da confiança da sra. Tanios.

— Um homem de estatura mediana...

—Você não precisa preocupar-se com isto, Hastings. Tenho certeza de que este homem não tem a menor importância. O verdadeiro agente ficou por trás de tudo.

— Bem como a carta...

— Sim.

— Alguém da confiança da sra. Tanios?

— Sim.

— E a carta foi queimada.

— Sim, recomendaram-lhe isto.

— E onde está aquele resumo do caso que você lhe deu?

Poirot amarrou a cara.

— Aquela também foi queimada. Mas não tem importância.

— Não?

— Não. Porque, você sabe, está tudo na cabeça de Hercule Poirot!

Pegou-me pelo braço.

—Vamos, Hastings, vamos sair. Nossa preocupação é com os vivos. É com eles que temos de lidar.

XXIX

Inquérito na Littlegreen House

ERAM ONZE HORAS da manhã seguinte.

Na Littlegreen House, sete pessoas reunidas.

Hercule Poirot colocou-se junto à lareira. Charles e Theresa Arundell ao sofá — Charles sentado no braço, com a mão no ombro da irmã —, o dr. Tanios numa poltrona, com os olhos avermelhados e uma faixa preta na manga; a srta. Lawson, a dona da casa, numa cadeira de espaldar reto, perto de uma mesinha redonda, também com os olhos avermelhados e o cabelo mais despenteado do que nunca, e o dr. Donaldson de frente para Poirot, com o rosto inexpressivo.

Meu interesse crescia na medida em que eu analisava cada expressão facial.

No curso de minha amizade com Poirot, eu tivera muitas oportunidades de ver cenas como esta: um pequeno grupo de pessoas, aparentemente bem-comportadas, mascaradas de boa educação, ocultando a sua verdadeira face.

Não me restava a menor dúvida de que um deles era um assassino. Mas qual? Nem mesmo agora eu estava certo.

Poirot limpou a garganta — pomposamente, como de hábito — e começou a falar:

— Estamos aqui, senhoras e senhores, para investigar a morte de Emily Arundell, ocorrida a 1º de maio. Ofereceram-se quatro hipóteses: que ela tenha tido morte natural; morte acidental; que ela se tenha suicidado; ou que tenha sido morta por pessoa conhecida ou desconhecida. Não foi feito qualquer inquérito por ocasião de sua morte, já que, pelo atestado de óbito assinado pelo dr. Grainger, foi tudo natural. No caso de surgir uma suspeita após o funeral, o procedimento é exumar-se o corpo da pessoa em questão. Não tratei disto, entretanto, por várias razões. A principal é a de que isto não agradaria à minha cliente.

O dr. Donaldson interrompeu-o:

— Sua cliente?

Poirot voltou-se para ele:

— Minha cliente é a srta. Emily Arundell. Estou aqui a seu pedido. Seu maior desejo era de que não houvesse escândalo.

Fez uma pausa e falou da carta, explicou sua ida a Market Basing, o que fizera e os meios adotados para provocar o acidente da bola de Bob. Em seguida, pigarreou outra vez e continuou:

—Vou levá-los pelo caminho que trilhei, através de uma reconstituição do caso em questão. Inicialmente é necessário dizer exatamente o que se passou na mente da srta. Arundell. Isto me parece fácil: Emily Arundell rolou pela escada e seus parentes atribuíram a queda a um escorregão na bola de Bob. Ela, entretanto, não se convenceu. Na cama, seu cérebro vivaz e inteligente rememorou as circunstâncias da queda e chegou a uma conclusão definida: alguém tentara deliberadamente feri-la ou matá-la. A partir daí, começou a pensar quem poderia ter sido. Havia em casa sete pessoas: quatro visitas, a dama de companhia e duas empregadas, das quais só uma poderia ser considerada ilibada, pois nada lucraria com a sua morte. Não chegou a suspeitar seriamente das empregadas, que já lhe serviam havia anos. Restavam, pois, quatro pessoas: três membros da família e uma quarta pelo casamento. Cada uma dessas pessoas se beneficiaria com a sua morte. Três diretamente e uma indiretamente. A srta. Arundell sentiu-se numa situação difícil, pois tinha fortes sentimentos familiares e, como se costuma dizer, não gostava de lavar roupa suja em público.

Explicou então Poirot que, "como, por outro lado, não era pessoa de resignar-se submissamente a uma tentativa de assassinato, decidiu escrever-lhe".

— Mas fez mais do que isto — acrescentou —, suponho que por dois motivos principais: primeiro, um sentimento de desprezo por toda a família... creio que suspeitava de todos, sem exceção, e estava resolvida a vencê-los; segundo, o mais racional, pelo desejo de se proteger, e pela necessidade de saber como devia fazer. Como sabem, escreveu ao seu advogado, o sr. Purvis, e disse-lhe para redigir um novo testamento, em favor da única pessoa da casa que, segundo pensava, nada tivera a ver com o acidente.

Com base nos termos da carta que recebera e no procedimento que se seguiu, Poirot continuou:

— A srta. Arundell passou da suspeita *indefinida* de quatro pessoas para a suspeita *definida* de uma delas. Na sua carta insistia, de ponta a ponta, em que o caso fosse tratado com a maior discrição, já que nele estava envolvida a honra da família do ponto de vista vitoriano. Isto significava uma pessoa que usava o seu nome, de preferência um homem. Se suspeitasse da sra. Tanios, mostrar-se-ia igualmente preocupada com a sua segurança pessoal, mas não ligaria tanto para a honra da família. Se fosse Theresa Arundell, é natural que também procurasse manter sigilo, mas não tanto quanto se fosse Charles. Este sim, era um Arundell que usava o nome da família.

Os motivos pelos quais suspeitava de Charles são evidentes: para começo de conversa, não tinha ilusões sobre ele: já sabia que uma vez estivera a ponto de sujar o nome da família. Para ela, ele não era um criminoso em potencial, mas verdadeiro. Além disso, ela tivera uma conversa bastante significativa com ele, dois dias antes do acidente. Charles lhe pedira dinheiro, ela recusara e ele lhe disse estouvadamente que estava se arriscando a que lhe "cuidassem da saúde". A srta. Arundell respondera-lhe que saberia cuidar de si, mas Charles, segundo consta, duvidou. Logo em seguida, dá-se o acidente. Não é de admirar que ela, retida na cama, chegasse à conclusão de que fora Charles. A sequência dos fatos é óbvia: a conversa com Charles, o acidente, as cartas para mim e para o advogado, o testamento que o sr. Purvis lhe submeteu a 21 de abril e que ela assinou...

Recordou então Poirot que "Charles e Theresa visitaram-na no fim de semana seguinte. A tia preveniu-se: falou a Charles sobre o testamento. Chegou até a mostrar a ele! Acho que isto tem explicação fácil: quis demonstrar ao provável assassino que ele já não lucraria com a sua morte. E talvez tenha pensado que Charles passaria isto à irmã. Ele não o fez, entretanto, na certeza de que o testamento fora modificado por sua culpa. Culpado, porém, de quê? Porque de fato tentara matar a tia, ou por ter surripiado umas libras? Ambos os crimes — todas as duas atitudes são criminosas — podiam justificar a sua relutância. Calou-se, assim, também na esperança de que a tia, com o tempo, mudasse de opinião".

— Julgo ter razoavelmente reconstituído os fatos do ponto de vista da srta. Arundell. Resta-me agora ver se tinha ou não razão para suas suspeitas. Temos sete pessoas: Charles e Theresa Arundell, o dr. e a sra. Tanios, as duas criadas e a srta. Lawson. Havia ainda uma oitava pessoa a considerar: o dr. Donaldson, que tinha jantado aqui na noite do acidente, mas de cuja presença só soube mais tarde. Estas sete pessoas estavam em duas categorias distintas: seis ganhariam, em menor ou maior grau, com a morte da srta. Arundell. Se qualquer destas pessoas cometesse o atentado, teria sido por ganância. Uma, a srta. Lawson, nada lucraria. No entanto, em consequência do acidente, mais tarde seria ela quem mais ganharia. Isto leva a crer que a srta. Lawson preparou aquele acidente.

— Nunca fiz isto! — protestou Minnie Lawson. Como ousa dizer isto?

— Paciência, Mademoiselle. Faça-me o favor de não interromper.

— Insisto em protestar! — bradou a mulherzinha — isto é uma vergonha!

Poirot não lhe deu ouvidos.

— Eu dizia que, se a srta. Lawson preparou o acidente, teria sido por motivo diverso. Ou seja, teria preparado a armadilha para que a srta. Arundell desconfiasse dos parentes e os deserdasse. Era possível. Tentei provar isto, mas desemboquei num fato significativo: se a srta. Lawson pretendesse que a srta. Arundell suspeitasse dos sobrinhos, trataria de denunciar que Bob passara a noite na rua. Mas ela fez exatamente o contrário. Portanto, a srta. Lawson devia estar inocente.

— Graças a Deus! — murmurou ela, aliviada.

— Estudei então a questão da morte da srta. Arundell. Geralmente, quando falha uma tentativa de assassinato, há uma segunda. Pareceu-me significativo, assim, que a srta. Arundell morresse. Como o dr. Grainger não acreditava que houvesse algo de extraordinário na morte da sua cliente, minha teoria ficou um pouco abalada. Contudo, analisando os acontecimentos da noite em que ela adoeceu, notei um detalhe interessante: a srta. Isabel Tripp referiu-se a um halo em volta da cabeça da srta. Arundell, o que teve a confirmação da irmã. É claro que podiam estar inventando isto, mas quando interroguei a srta. Lawson, ela me disse ter visto uma fita luminosa sair da boca da srta. Arundell, formando uma névoa de luz em volta de sua cabeça. Embora descrito de modo diverso por observadores diferentes, o fato era o mesmo. Pondo-se de lado o espiritismo, verifica-se que, na noite em questão, o hálito da srta. Arundell era fosforescente.

O dr. Donaldson remexeu-se na cadeira.

— Começa a entender, doutor? — perguntou-lhe Poirot. — Não há muitas substâncias fosforescentes: a principal delas e a mais comum proporcionava-me exatamente o que eu procurava. Eis um recorte de jornal sobre envenenamento por fósforo: "O hálito da pessoa pode ser fosforescente antes que ela sinta qualquer sintoma." Foi isto que a srta. Lawson e as irmãs Tripp viram no escuro. E vou adiante: "Uma vez notada a icterícia, a pessoa envenenada não apenas sofre a ação tóxica do fósforo, como também de todos os sintomas da retenção de bílis no sangue. Assim, não se verifica qualquer diferença especial entre envenenamento por fósforo e certas afecções do fígado, como a atrofia amarela." Vê a inteligência disto? A srta. Arundell havia anos sofria do fígado. Os sintomas do envenenamento pareceriam outra crise da mesma doença...

Explicou então Poirot que "foi tudo muito bem planejado".

— Fósforos estrangeiros? Pasta raticida? Não é difícil arranjar fósforo, e basta uma pequena dose para matar. A dose medicinal vai de 1/100 a 1/30 de grão. *Voilà!* O caso se torna extremamente claro! E o médico é facilmente enganado, ainda mais que tinha perdido o olfato e não podia sentir o cheiro de alho que caracteriza o envenenamento por fósforo. E, além do mais, o doutor não tinha razões para suspeitar, já que nada ouvira para fazê-lo desconfiar. E, se ouvisse, acabaria por considerar uma tolice dos espíritas.

Poirot sorriu e continuou sereno:

— Graças ao depoimento da srta. Lawson e das irmãs Tripp, tive a certeza de que houve homicídio. Não sabia, entretanto, o autor. Eliminei as empregadas, cuja mentalidade não está adequada a um crime destes. Eliminei a srta. Lawson, porque, se fosse culpada, não falaria do ectoplasma luminoso. Eliminei Charles Arundell, porque ele tinha sido informado com antecedência de que, pelo novo testamento, nada levaria com a morte da tia. Restaram Theresa, o dr. Tanios, sua mulher e o dr. Donaldson. A esta altura, tinha poucos indícios para uma investigação mais profunda da psicologia do crime e da personalidade do assassino. Contudo, os dois atentados tinham mais ou menos as mesmas características: simplicidade, astúcia e eficiência. Requeriam alguns conhecimentos, porém não muitos, sobre o fósforo, que é fácil de obter, especialmente no exterior.

Poirot considerou então os dois homens em primeiro lugar, ambos médicos e ambos inteligentes:

— Qualquer deles podia ter pensado no fósforo, mas o incidente da bola do cão não se coaduna com uma mente masculina. Parecia-me mais próprio de um cérebro feminino. Voltei então minha atenção para Theresa Arundell. Era ousada, insensível e pouco escrupulosa. Sua vida sempre fora de egoísmo e cobiça, mas estava desesperada por dinheiro, tanto para si como para o homem que ama. Além disto, seus modos levavam a crer que sabia do assassinato da tia. Surpreendi uma troca de palavras entre ela e o irmão que me despertou a ideia de que um suspeitava do outro. Charles Arundell forçou-a a dizer que sabia do testamento novo. Por quê? É evidente que, se conhecesse, não seria suspeita do crime. Ela, por sua vez, não acreditou em Charles, considerando aquilo como uma tentativa para desviar dele as suspeitas. Mas havia outro fato significativo: Charles mostrou relutância em dizer *arsênico,* e, mais tarde, conversara com o jardineiro sobre determinado defensivo agrícola. Compreende-se o que pensava...

— Pensei nisto — murmurou Charles —, mas não creio que tenha coragem para essas coisas.

— Precisamente — confirmou Poirot. — Não faz parte da sua psicologia. Sua fraqueza tem crimes típicos: roubar, falsificar... nunca, porém, matar. Para matar, tem-se de ter uma personalidade que permita ficar-se obcecado pela ideia.

Desviou o olhar de Charles e recomeçou, olhando para Theresa:

—Theresa Arundell, porém, tinha força de vontade para levar a cabo o crime, mas havia muitos detalhes a considerar: ela não é do tipo de pessoa que mata, a não ser levada repentinamente pela raiva. E, no entanto, eu tinha certeza de que ela levara o defensivo do jardineiro.

Theresa interrompeu-o:

— Para falar a verdade, pensei nisto, cheguei a tirar o veneno da lata, mas não tive coragem de ir além. Gosto de viver. Não poderia tirar a vida de ninguém. Posso ser má e egoísta, mas há coisas que não posso fazer. Jamais mataria uma pessoa viva e palpitante!

—Tem razão — concordou Poirot. — E também não é tão má como se pinta, Mademoiselle. É apenas jovem... e irresponsável.

E prosseguiu:

— Restava a sra. Tanios. Logo que a vi, entendi que tinha medo de qualquer coisa. Ela, porém, notou isto e apressou-se em tirar vantagem do momentâneo descuido: representou muito bem o papel da mulher que tem medo do marido. Um pouco mais tarde mudou de tática, mas não me iludiu. Uma mulher pode ter medo do marido, ou pelo marido, mas jamais ambos.

A sra. Tanios optou pelo segundo papel com tanta perfeição que chegou a ponto de ir ao hall do hotel para fingir que não falaria na frente dele. Quando o doutor apareceu, e ela sabia que isto aconteceria, fingiu. Percebi, entretanto, que não o temia, mas que não gostava mais dele. Naquele mesmo instante compreendi também que era ela quem eu procurava. Estava na minha frente não uma mulher comodista, mas uma pessoa contrariada, uma mulher que fora feia, tivera uma existência monótona e que, incapaz de atrair os homens que queria, acabara casando-se com um de quem não gostava. Pude identificar sua crescente insatisfação com a vida, sua existência em Smyrna, longe de todos os que estimava. Em seguida, o nascimento das crianças e seu amor por elas. Seu marido devotava-se a ela, mas sem nada dizer, aos poucos foi desgostando dele. Especulara com seu dinheiro e o perdera, o que foi outro problema. Havia só uma coisa a iluminar a sua vida: a possibilidade de herdar o dinheiro de sua tia. Teria assim dinheiro, independência, e a possibilidade de educar seus filhos como queria... e lembrem-se o que a educação significava para ela, do ponto de vista de que era filha de um professor.

Poirot disse ainda que ou ela já planejara o crime, ou tivera a ideia antes de ir à Inglaterra:

— Tinha certos conhecimentos de química, já que trabalhara com o pai num laboratório. Sabia da doença da srta. Arundell, e que o fósforo seria a substância ideal para os seus objetivos. Então, foi à Littlegreen House e ali um método apresentou-se a ela. A bola de Bob... um cordão atravessado no alto da escada. Uma simples e engenhosa ideia de mulher.

Segundo Poirot, ela fez uma tentativa, mas falhou:

— Não acho que ela suspeitasse de que a srta. Arundell suspeitara do acidente. Aliás, as suspeitas da vítima centralizavam-se em Charles. Duvido que tenha mudado seu tratamento para com Bella. E assim, calma e determinadamente, esta mulher retraída, infeliz e ambiciosa pôs em execução o plano elaborado lá fora. E encontrou um excelente veículo para o veneno nas pílulas que a srta. Arundell costumava tomar após as refeições. Foi brincadeira de criança abrir uma delas e colocar dentro o veneno. Depois, misturada às outras, mas cedo ou mais tarde haveria de ser consumida. E quem suspeitaria do veneno? Ainda assim, se surgissem estas suspeitas, Bella Tanios já estaria longe de Market Basing.

Ressalvou, entretanto, Poirot, que Bella tomou uma precaução: "Adquiriu uma dose dupla de cloral, falsificando a assinatura do marido na receita, em caso de qualquer coisa não dar certo."

— Como já disse, desde o momento em que a vi, fiquei convencido de que a sra. Tanios era a pessoa que eu procurava. Não tinha, contudo, nenhuma prova, e, assim, era preciso ter cuidado. Se ela percebesse que suspeitava dela, talvez houvesse outro crime. Além disso, eu esperava que este outro crime ocorresse, pois seu maior desejo na vida era livrar-se do marido. O primeiro só lhe resultara em decepção: o dinheiro, maravilhosamente embriagador, foi parar nas mãos da srta. Lawson! Foi um choque, mas ela agiu com diligência. Tratou de trabalhar a consciência da srta. Lawson, que, eu suspeito, não estava em paz.

A srta. Lawson prorrompeu em lágrimas e soluços.

— É horrível — disse ela. — Fui má, muito má! Fiquei curiosa a respeito do novo testamento da srta. Arundell e um dia, enquanto ela descansava, abri a gaveta. Vi, então, que me deixava tudo! Nunca me passou pela cabeça que fosse tanto dinheiro. Pensei que não passava de uns poucos mil. E por quê não? Afinal, sua família nunca cuidou dela! Então, quando piorou, pediu pelo testamento. Eu sabia que ela iria destruí-lo... E então fui má. Disse-lhe que ela o mandara de volta ao sr. Purvis. Coitada, vivia esquecendo as coisas. Acreditou em mim. Disse-me que escrevesse à firma, pedindo-o de volta.

Entre soluços, acrescentou que "ela foi piorando e piorando, e já não se lembrava de nada. E morreu. Depois, leram o testamento e vi quanto ficava para mim. Foi terrível. Nunca sonhei que fosse tanto dinheiro. Se tivesse sonhado, não faria o que fiz. Senti que roubara o dinheiro... e fiquei sem saber o que fazer. Finalmente, quando Bella me procurou, disse-lhe que lhe daria a metade, pois se o fizesse ficaria mais feliz.

— Estão vendo? — perguntou Poirot. — A sra. Tanios estava conseguindo o que planejara. Por isso ela era tão avessa a contestar o testamento. A última coisa que poderia fazer seria hostilizar a srta. Lawson. Fingiu concordar com os desejos do marido, mas primeiro tornara claro os seus sentimentos. Na realidade, nem mesmo os disfarçava. E o doutor, coitado, ficou realmente preocupado com aquela mudança, que era bem lógica. Ela representava o papel de mulher aterrorizada para que eu, se tivesse alguma suspeita... e o dr. Tanios estava certo disso... julgasse que fora o marido o autor do homicídio. O segundo crime, que, creio, já estava arquitetado em sua mente, poderia ocorrer a qualquer momento. Além do mais, eu sabia que ela tinha em seu poder uma dose letal e receava, assim, que ela engendrasse um suicídio e uma confissão por parte do médico.

Poirot ressalvou que, apesar de tudo isto, continuava sem provas contra ela.

— Foi quando, já desesperado, consegui alguma coisa. A srta. Lawson me disse que na noite de segunda-feira seguinte à Páscoa vira Theresa Arundell ajoelhada na escada. Verifiquei que não poderia tê-la visto claramente, pelo menos a ponto de reconhecê-la. Ela, contudo, mostrou-se irredutível: era Theresa. E, para confirmar, citou até mesmo um broche com suas iniciais: T. A. Estive com a srta. Theresa Arundell e ela mostrou-me o broche, negando firmemente que tivesse estado na escada naquela noite. Inicialmente imaginei que alguém o usara, mas, ao vê-lo no espelho, a verdade veio à luz. A srta. Lawson, ao acordar, vira um vulto com um broche no qual estavam gravadas as iniciais T. A. Concluiu logo que era Theresa. Mas, se no espelho vira T. A., isso significava que as iniciais eram A. T., pois os espelhos refletem a imagem invertida. Lembrei então que a mãe da sra. Tanios era Arabella Arundell, Bella seria então um diminutivo do homônimo. Não havia nada de especial no fato da sra. Tanios possuir um broche igual ao da prima. Embora exclusivos no Natal, na primavera tinham-se transformado numa epidemia. E não devemos esquecer que Bella tinha o hábito de copiar tudo que Theresa usava.

Com isto, Poirot considerou o caso provado.

— Que fazer, a seguir? Obter um mandado para a exumação? Isto poderia ser arranjado facilmente. Eu podia provar que a srta. Arundell fora envenenada com fósforo? O corpo havia sido enterrado há dois meses, e sei de casos de envenenamento em que os sintomas logo desapareçam. Ainda assim, como poderia ligar a sra. Tanios com a compra de fósforo? Ela podia tê-lo adquirido até no exterior. Foi então que a sra. Tanios deu o passo decisivo. Abandonou o marido e confiou-se à compaixão da srta. Lawson. Acusou também o dr. Tanios pelo crime. Achei, que, se não agisse rapidamente, ele seria a próxima vítima. Tratei, assim, de mantê-los longe um do outro, dizendo à sra. Tanios que era para o seu bem. Na realidade, era a segurança do doutor que eu tinha em vista.

A medida, entretanto, era apenas temporária, segundo explicou Poirot.

— Eu tinha de me certificar de que o assassino não mais atacaria. Assim, escrevi tudo isto e entreguei o papel à sra. Tanios.

Fez-se um silêncio sepulcral.

— Meu Deus! — bradou o dr. Tanios. — Foi por isso que se matou!

Poirot explicou gentilmente:

— Não foi a melhor solução? Ela achou que era. Afinal, havia as crianças...

O médico escondeu o rosto entre as mãos:

Poirot consolou-o, colocando a mão sobre seu ombro:

— Tinha de ser assim. Acredite-me. Haveria mais mortes. Primeiro, o senhor. Depois, quem sabe, a srta. Lawson?

Fez uma pausa.

— Ela quis — murmurou Tanios, com voz rouca — que, certa noite, eu tomasse remédio para dormir. Joguei-o fora, pois sua aparência estava estranha. Foi aí que pensei que estava enlouquecendo...

— É melhor pensar que era assim. Em parte, é verdade. Ela sabia o significado de sua ação.

— Era boa demais para mim; sempre foi.

Estranho epitáfio para uma assassina confessa!

XXX

A última palavra

NÃO HÁ MUITO mais a dizer.

Logo depois, Theresa casou-se com o médico. Hoje conheço-os bem e aprendi a apreciar Donaldson — a extrema clareza de sua visão e a profunda energia e humanidade que existem sob seu aspecto banal. Continua tão formal e seco quanto antes e Theresa costuma zombar disso em sua presença. É uma mulher felicíssima, empenhada na carreira do marido, que já tem um bom nome e progride à sua própria custa.

A srta. Lawson, num drama de consciência, teve de ser impedida quase à força de abrir mão do último centavo. O sr. Purvis elaborou um acordo entre as partes, de modo que a fortuna fosse dividida entre a srta. Lawson, os dois Arundell e as crianças de Tanios.

Charles jogou todo o dinheiro fora, e deve estar na Colúmbia Britânica.

Quero relatar apenas dois incidentes:

— O senhor é um sujeito muito malandro, não? — perguntou a srta. Peabody a Poirot, quando, um dia desses, saíamos da Littlegreen House. — Conseguiu abafar tudo muito bem! Nada de exumações. Tudo decente.

— Parece não haver dúvida de que ela morreu do fígado — respondeu-lhe Poirot.

— Muito satisfatório — comentou a srta. Peabody. — E Bella Tanios tomou uma dose excessiva de soporífero...

— Sim. Foi muito triste...

— Era uma mulher que só queria o que não tinha. Estas pessoas ficam muito estranhas... Certa vez tive uma cozinheira que sofria da mesma coisa. Era feia e sabia disso. Para se vingar, começou a escrever cartas anônimas. Inventam cada uma! Enfim creio que assim foi melhor.

— É o que esperamos, madame. É o que esperamos.

— Bem — concluiu a srta. Peabody — para falar a verdade, devo dizer que trabalhou bem.

Ouvi um "uff" às minhas costas. Voltei-me e abri o portão.

—Vamos, meu velho.

Bob cruzou o portão, com uma bola na boca.

— Não deve levá-la no passeio.

O animal recuou, triste, e jogou a bola para dentro.

— Se é a voz do dono...

Soltei um suspiro.

— É bom ter um cão novamente, Poirot!

— Despojos da guerra... Mas devo lembrar-lhe, meu amigo, que a srta. Lawson deu o cão *para mim*.

—Talvez — concordei. — Mas você não sabe lidar com eles. Não conhece a psicologia canina. Agora: eu e o Bob entendemo-nos perfeitamente, não é?

— Uff — fez Bob, com um tom de energia.

Sobre a autora

Agatha Christie nasceu em Torquay, cidade da Inglaterra, em 1890, e tornou-se a romancista mais vendida de todos os tempos. Escreveu oitenta romances e coletâneas de contos, além de mais de uma dúzia de peças, incluindo A ratoeira, produção que ficou mais tempo em cartaz na história teatral. Agatha também escreveu uma autobiografia, publicada no Brasil em 1977. Embora seu nome seja sinônimo de ficção policial, a extensão dos temas em seus romances é extraordinária, e Agatha realmente merece um lugar de destaque como uma das mais queridas escritoras de todos os tempos.

Seu sucesso permanente, ampliado pelas inúmeras adaptações para o cinema e para a tevê, é um tributo ao eterno fascínio de seus personagens e à absoluta engenhosidade de suas tramas.

Agatha Christie morreu em 1976, aos 85 anos, de causas naturais.

Surpreso com o desfecho desse mistério?

Não deixe de conferir outros desafios que
a Rainha do Crime preparou para seus detetives:

A casa do penhasco
A casa torta
A extravagância do morto
A maldição do espelho
A mansão Hollow
Assassinato na casa do pastor
Assassinato no Expresso do Oriente
Caio o Pano
Cem gramas de centeio
Convite para um homicídio
Hora zero
M ou N?
Morte na Mesopotâmia
Morte no Nilo
Nêmesis
O Natal de Poirot
O mistério dos sete relógios
Os crimes ABC
Os elefantes não esquecem
Os trabalhos de Hércules
Treze à mesa
Um corpo na biblioteca
Um pressentimento funesto

Este livro foi impresso na China, em 2020,
para a HarperCollins Brasil.
A fonte usada no miolo é Bembo, corpo 11/14.